Mobile

MÉTHODE DE FRANÇAIS

MÉTHODE DE FRANÇAIS

Alice Reboul

Anne-Charlotte Boulinguez

Géraldine Fouquet

Table des crédits photographiques

Édition : France Tabariés
Principes de maquette de couverture : Marie-Astrid Bailly-Maître et maquette intérieure : Elsa Clouet
Mise en page : LNLE
Photogravure : RVB
Enregistrements, montage et mixage : CD par Fréquence Prod / DVD par INIT
Illustrations :
Clémentine Bernard, pages 16 - 18 - 20 - 22 - 26 - 30 - 39 - 54 - 56 - 58 - 59 - 72 - 76 - 77 - 88 - 89 - 91 - 92 - 107
Marine Kukesza : pages 28 - 47 - 62 - 63 - 68 - 69 - 70 - 74 - 90 - 99 - 100 - 103 - 106 - 113
Hervé Moulin : pages 29 - 78 - 104
Iconographie : Aurélia Galicher

Nous avons recherché en vain les auteurs ou les ayants droit de certains documents reproduits dans ce livre. Leurs droits sont réservés aux Éditions Didier.

PAPIER À BASE DE
FIBRES CERTIFIÉES

éditions didier s'engagent pour l'environnement en réduisant l'empreinte carbone de leurs livre. Celle de cet exemplaire est de :
700 g éq. CO₂
Rendez-vous sur
www.editionsdidier-durable.fr

Avant-propos

Parce que le monde bouge! Parce que le temps s'écoule toujours plus vite!
Avec *Mobile*, nous avons voulu accompagner les étudiants vers l'autonomie
en français, rapidement et efficacement. Pour cela, nous proposons une
démarche avant tout centrée sur le lexique : mettre à disposition les mots pour
dire, échanger et s'affirmer.

Avec la double page « Découvrir », les étudiants seront confrontés à une large
palette de vocabulaire sur le thème de l'unité, qui se veut actuel et proche de
leurs préoccupations. Une démarche active qui s'inscrit volontairement dans
une perspective actionnelle : dire pour faire ou faire en disant !

Dans les pages « Exprimer », l'étudiant va, dans un contexte à caractère
authentique, mettre en place les structures linguistiques essentielles qui
l'aideront à interagir.

Puis, dans la double page « Échanger », les étudiants seront sensibilisés à
l'aspect interculturel de la langue. Cette approche se retrouvera tout au long
de la méthode : les bandes d'informations liées à la langue ou la culture en
bas des pages, les espaces « **Et plus** » qui offrent une ouverture culturelle sur
le thème proposé, ou encore le « **carnet pratique** » qui permet d'aller à la rencontre du monde francophone.

De plus, chaque unité propose une tâche finale à réaliser individuellement
ou en groupe qui permet de consolider les acquis de l'unité. Ces acquis sont
validés à plusieurs stades, en empruntant la voie d'une progression spiralaire
pour transférer son savoir-faire d'un contexte à un autre.

Enfin, l'étudiant pourra s'évaluer avec les préparations DELF (oral et écrit).

Avec *Mobile*, nous espérons que les étudiants pourront rapidement s'exprimer
et converser en français avec plaisir !

Les auteurs

Mode d'emploi

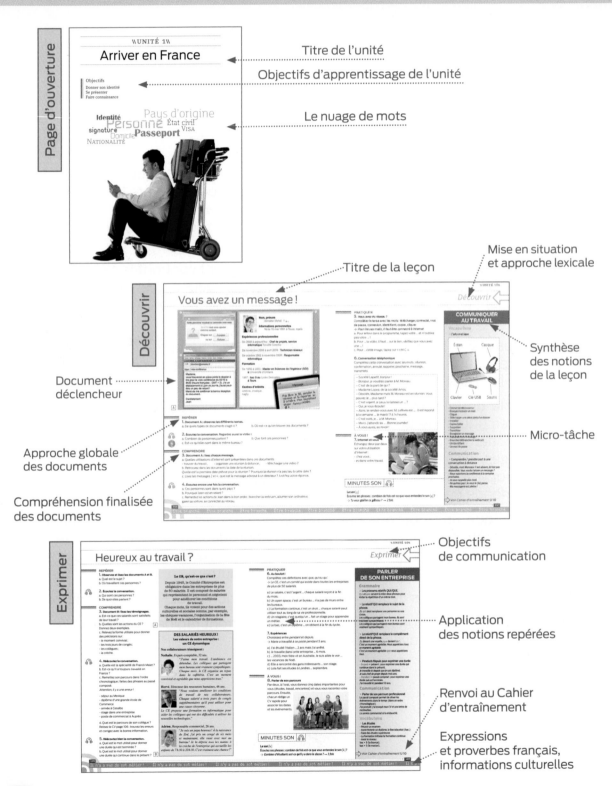

Page d'ouverture

Titre de l'unité

Objectifs d'apprentissage de l'unité

Le nuage de mots

Découvrir

Titre de la leçon

Mise en situation et approche lexicale

Document déclencheur

Synthèse des notions de la leçon

Approche globale des documents

Micro-tâche

Compréhension finalisée des documents

Exprimer

Objectifs de communication

Application des notions repérées

Renvoi au Cahier d'entraînement

Expressions et proverbes français, informations culturelles

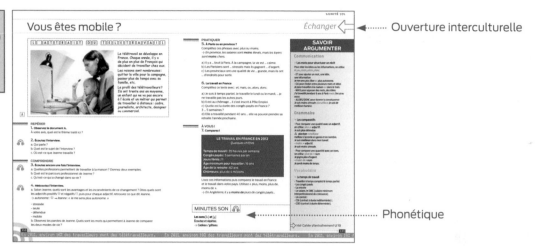

.... Ouverture interculturelle

.... Phonétique

Mise en œuvre des notions
et apprentissages de l'unité

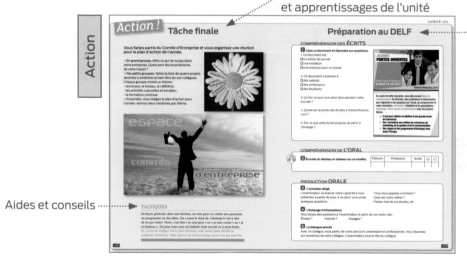

Entraînement
à l'examen
du DELF
(oral et écrit)

Aides et conseils ·········

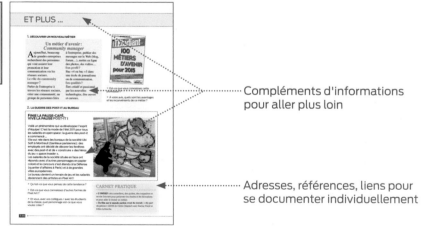

Compléments d'informations
pour aller plus loin

Adresses, références, liens pour
se documenter individuellement

Tableau des contenus

		Micro-tâche	Communication	Grammaire	Lexique	Phonétique	Interculturel
UNITÉ 1 Arriver en France	**Découvrir** Nouveaux arrivants	Laisser un message sur un répondeur.	Saluer, se présenter (1) : dire son nom, la langue qu'on parle et la nationalité.		L'identité. La nationalité. Les coordonnées. Quelques noms de pays.	Le rythme et la syllabation.	
	Exprimer Premiers contacts	S'inscrire dans une association d'accueil de nouveaux arrivants : répondre à des questions.	Se présenter (2) : dire sa date et son lieu de naissance ; dire sa situation familiale.	Le verbe ÊTRE au présent. Les pronoms personnels sujets. Les adjectifs possessifs. (1)	Je voudrais... Les mois de l'année.	La syllabation.	
	Échanger Soirée d'accueil	Participer à une soirée d'accueil de nouveaux arrivants : se présenter.	Faire connaissance et saluer. Demander et dire des informations personnelles : l'âge, le domicile.	Le verbe AVOIR au présent. Les pronoms toniques.	Les salutations (formelles et informelles).	L'intonation interrogative. (1)	Le tutoiement et le vouvoiement.
	Tâche finale : remplir un formulaire pour se présenter afin de s'inscrire dans une association.						
UNITÉ 2 Vie privée, vie publique	**Découvrir** Au travail !	Interroger et présenter quelqu'un.	Se présenter. (3) Interroger et présenter quelqu'un.	Les articles définis. Le masculin et le féminin des professions.	Les professions et les études.	Le repérage des marques orales du féminin. (1)	Le salon des étudiants.
	Exprimer Qui fait quoi ?	Présenter deux personnes de sa famille.	Dire l'activité professionnelle. Parler de sa famille.	Les questions avec « quel ». Les présentatifs (c'est/ce sont). Les adjectifs possessifs. (2). Le verbe FAIRE.	La famille.	Les lettres finales muettes.	L'entreprise familiale.
	Échanger Chacun son métier !	Préparer et poser des devinettes.	Parler d'une activité.	Les verbes en -ER. Les articles définis et indéfinis. Le genre de quelques adjectifs.	Quelques adjectifs pour caractériser une activité professionnelle.	Le repérage des marques orales du féminin. (2)	Des célébrités françaises.
	Tâche finale : créer une entreprise imaginaire et présenter un projet au salon des entrepreneurs.						
UNITÉ 3 Des goûts et des couleurs	**Découvrir** Tribus urbaines	Faire le portrait imaginaire d'un groupe de personnes.	Parler des centres d'intérêt et des préférences. Décrire quelqu'un.		Les vêtements. Les couleurs. Les activités et les loisirs. Les verbes d'appréciation.	La liaison sujet/ verbe. (1)	L'existence de groupes sociaux.

		Micro-tâche	Communication	Grammaire	Lexique	Phonétique	Interculturel
UNITÉ 3 Des goûts et des couleurs	**Exprimer** Je m'habille donc je suis !	Interviewer des personnes pour connaître leurs centres d'intérêt.	Questionner sur les centres d'intérêt et les activités.	Questions ouvertes et fermées. Faire du/de la/ des. Aller au/à la.	Quelques activités culturelles et sportives.	L'intonation interrogative (2), l'intonation montante et descendante.	
	Échanger À Paris et ailleurs...	Écrire un témoignage sur une ville et ses habitants.	Demander et donner une explication. Décrire ses habitudes, ses centres d'intérêt et préférences.	Les adjectifs possessifs. (3) Le verbe VIVRE. Le pronom ON.		La voyelle nasale [ɔ̃].	Des différences interculturelles.
		**Tâche finale :** réunir des personnes selon leurs centres d'intérêt pour les inviter à participer à une exposition.					
UNITÉ 4 À table !	**Découvrir** Faire les courses...	Faire ses courses.	Demander un article. Demander et donner un prix. Indiquer une quantité déterminée.		Je voudrais / je vais prendre. L'alimentation : commerces et produits. Unités de mesures et contenants.	Les voyelles nasales [ɔ̃] et [ɑ̃].	Plusieurs situations d'achat en France.
	Exprimer Au restaurant	Passer une commande au restaurant.	Lire un menu et passer commande au restaurant. Réagir à une affirmation positive ou négative.	L'impératif. (1) Le conditionnel de demande : je voudrais...	Quelques noms de plats et spécialités gastronomiques. Moi aussi, moi non plus.	La voyelle nasale [ɛ̃].	Un repas au restaurant en France.
	Échanger La culture est dans l'assiette	Rédiger un article pour décrire ses habitudes alimentaires.	Comprendre un article sur les habitudes alimentaires. Décrire ses habitudes alimentaires.	L'article partitif. La quantité.	Les ingrédients. Les repas. Quelques verbes de l'alimentation.	Discrimination des voyelles nasales [ɔ̃], [ɑ̃] et [ɛ̃].	Des habitudes alimentaires dans différents pays.
		**Tâche finale :** organiser une soirée dégustation pour goûter des spécialités internationales.					
UNITÉ 5 On s'installe	**Découvrir** Chacun son toit !	Jouer le dialogue entre le locataire et l'agent immobilier pour louer un logement.	Demander/ donner des informations sur un logement.		Le logement, la maison, la location.	Les sons. [y] ou [u].	
	Exprimer Attention, fragile !	Raconter son déménagement et décrire la décoration.	Raconter un événement passé.	Le passé composé. L'interrogation pour localiser. Les prépositions de lieu. (1)	Le mobilier. Quelques marqueurs temporels.	Les liaisons. (2)	
	Échanger Cohabitation	Faire un sondage sur le partage des tâches ménagères.	Exprimer l'obligation, l'interdiction et le but.	L'expression de l'obligation et de l'interdiction. L'expression du but.		L'intonation à l'impératif et dans la négation.	La vie en colocation
		**Tâche finale :** organiser une colocation et rédiger un contrat du colocataire.					

Tableau des contenus

		Micro-tâche	Communication	Grammaire	Lexique	Phonétique	Interculturel
UNITÉ 6 Au fil du temps...	**Découvrir** Chacun son rythme !	Préparer un questionnaire pour connaître les habitudes du groupe.	Exprimer la fréquence. Indiquer le moment.		Les saisons, les vacances, la rentrée. Quelques adverbes et expressions de fréquence.	La liaison. (3)	Les rythmes scolaires, universitaires, et de travail en France et pays francophones
	Exprimer Vous êtes libre ?	Organiser un rendez-vous de travail.	Demander et dire l'heure. Prendre un rendez-vous : proposer, accepter, refuser. Exprimer une durée.	L'expression de la durée Le verbe pouvoir.	L'heure.	Les sons [œ] et [ə].	
	Échanger Une journée dans le monde	Poster un message sur un forum pour décrire une journée habituelle.	Parler de ses activités quotidiennes et habituelles. Indiquer la chronologie.	Les verbes pronominaux. Quelques verbes en –IR.	Le quotidien.	Les sons [o] et [ɔ].	Le rythme de vie, en France et ailleurs.
	Tâche finale : organiser une journée d'un séminaire d'entreprise ou d'un week-end d'intégration.						
UNITÉ 7 En ville !	**Découvrir** Vie de quartier	Échanger pour découvrir une ville et un quartier.	Décrire et caractériser un lieu. Donner ses impressions sur un lieu. Parler du climat.	Les présentatifs.	Les lieux de la ville. Des adjectifs pour qualifier un lieu. Des expressions pour parler du climat.	Les sons [i] et [y].	La découverte d'un environne-ment urbain : Strasbourg et Bordeaux.
	Exprimer Itinéraires...	Choisir un moyen de transport et organiser un itinéraire.	Localiser un lieu. Demander son chemin. Donner des indications, indiquer un itinéraire.	L'impératif pour donner des indications. (2)	Les moyens de transport. Des verbes de déplacement.	Le son [j].	
	Échanger On visite ?	Se renseigner sur un événement culturel, demander des informations sur les lieux à visiter.	Se renseigner sur un lieu : s'infor-mer sur le lieu, les horaires, l'accès, le prix.	Les préposi-tions de lieu. (2) Les adjectifs démonstratifs. Les trois formes de questions.	Les lieux du patrimoine. Des adverbes pour s'orienter et des adjectifs d'appréciation.	Le son [ʀ].	Une manifesta-tion culturelle : les Journées européennes du Patrimoine.
	Tâche finale : imaginer un itinéraire pour une visite guidée de la ville où on habite.						
UNITÉ 8 Nos Sorties...	**Découvrir** France, terre de festivals	Présenter un festival.	Découvrir les activités culturelles.		Les activités culturelles.	Les sons [e] et [ə].	Des festivals célèbres en France.

		Micro-tâche	Communication	Grammaire	Lexique	Phonétique	Interculturel
UNITÉ 8 Nos Sorties…	**Exprimer** On sort ce soir ?	Créer un événement *facebook* : organiser une sortie.	Proposer une sortie : accepter ou refuser.	Le futur proche. Les verbes pouvoir, devoir, vouloir.		Les sons [ɛ] et [ø].	
	Échanger Comme au cinéma…	Conseiller ou déconseiller un film, écrire une critique de film.	Donner son opinion.	Les pronoms COD. Le verbe croire au présent.	L'appréciation.	Le son [ø].	Des affiches de cinéma à travers le monde.
	Tâche finale : organiser une soirée et inviter un groupe de musique chez soi.						
UNITÉ 9 Enfin les vacances !	**Découvrir** À moi, les vacances…	Réserver un hébergement, prendre un billet de train ou d'avion.	Réserver un voyage. Conditionnel de demande : je voudrais…		La réservation : hébergement, transports.	Les sons [ʃ] et [ʒ].	Les DROM.
	Exprimer Aïe, aïe, aïe !	Aller à la pharmacie.	Parler de la santé : dire qu'on a mal.	Le passé récent.	Le corps humain. Quelques expressions de la douleur.	Les sons [f] et [v].	
	Échanger Carnet de voyage	Raconter des souvenirs de voyage.	Décrire des circonstances. Parler de ses vacances. Exprimer un sentiment.	L'imparfait : c'était, il y avait, il faisait.	Les sentiments : tristesse, surprise, satisfaction, soulagement.	L'intonation des sentiments.	Les vacances des Français.
	Tâche finale : choisir une destination de vacances et s'informer sur les conditions de voyage.						
UNITÉ 10 Travailler autrement	**Découvrir** Vous avez un message !	Présenter son utilisation d'Internet.	Communiquer au travail.		L'informatique, la communication. Participer à une conversation à distance.	Le son [g].	
	Exprimer Heureux au travail ?	Écrire un CV, rédiger une courte biographie.	Parler de son entreprise.	Les pronoms relatifs. Utiliser le passé composé pour parler de son parcours. Pendant, depuis.	Le lexique des études.	Le son [k].	Les comités d'entreprise.
	Échanger Vous êtes mobile ?	Comparer le travail en France et dans son pays.	Donner des avantages et des inconvénients.	La comparaison. Les connecteurs : les mots pour structurer un récit.	Le temps de travail.	Les sons [k] et [g].	Un nouveau mode de travail : le télétravail.
	Tâche finale : prévoir le plan d'action de l'année dans le cadre d'un comité d'entreprise.						

Mobilisons-nous !

DES MOTS FRANÇAIS

1. Trouvez le mot français.

ti amo
te quiero
Ich liebe dich
I love you

Qanta munani
Volim te
Mina rakastan sinua
je t'aime

Szeretlek
Kocham Cie
S'agapo
Eu te amo

2. Observez ce « nuage de tags ». Vous connaissez ces mots ?

bonjour MERCI RADIO
JOURNAL MODE ATTENTION
au revoir TAXI HÔTEL
MUSIQUE S'IL VOUS PLAÎT
LIBERTÉ culture

QU'EST-CE QUE C'EST ?

3. Écoutez et associez chaque son à une photo.

→ *Son 1: photo c - C'est un restaurant !*

a. un magasin   b. une rue   c. un restaurant   d. des amis

4. Associez avec une photo.

→ *Photo c, ce sont les escaliers de Montmartre. Photo a, c'est ...*

a. C'est un drapeau français.

b. Ce sont les escaliers de Montmartre.

c. C'est la Tour Eiffel.

LES SONS DU FRANÇAIS

5. Écoutez et répétez. Est-ce que ces sons existent dans votre langue ?

[l]	lire
[ʀ]	regarder
[m]	musique
[n]	non
[s]	salut
[z]	magasin
[p]	parler
[b]	bonjour
[t]	taxi
[d]	radio
[k]	parc
[g]	portugais
[f]	féminin
[v]	vendredi
[ɲ]	espagnol
[ʃ]	chanson
[ʒ]	journal

[a]	ami
[e]	café
[ɛ]	escalier
[ə]	regarder
[œ]	neuf
[o]	radio
[ɔ]	observer
[i]	merci
[y]	bus
[u]	écouter

[ɥ]	huit
[w]	oui
[j]	famille
[ã]	France
[ɛ̃]	bienvenue
[ɔ̃]	bonjour

OBSERVEZ !

Qu'est-ce que c'est ?

C'est	**le** drapeau français	masculin
	la tour Eiffel	féminin
Ce sont	**les** escaliers de Montmartre	pluriel
C'est	**un** parc	masculin
	une rue	féminin
Ce sont	**des** amis	pluriel

Mobilisons-nous !   Mobilisons-nous !   Mobilisons-nous !   Mobilison

Mobilisons-nous !

COMMUNIQUER EN CLASSE

1. Qui parle : l'enseignant ou l'étudiant ?

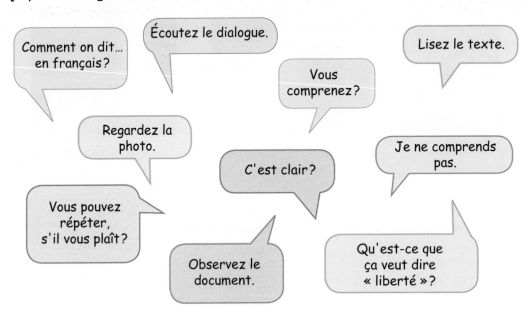

Comment on dit... en français ?

Écoutez le dialogue.

Lisez le texte.

Vous comprenez ?

Regardez la photo.

Je ne comprends pas.

C'est clair ?

Vous pouvez répéter, s'il vous plaît ?

Observez le document.

Qu'est-ce que ça veut dire « liberté » ?

COMMENT ÇA S'ÉCRIT ?

2. Écoutez, lisez et répétez l'alphabet.

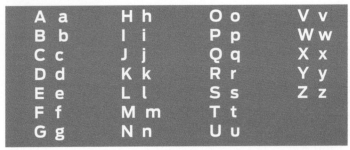

A a	H h	O o	V v
B b	I i	P p	W w
C c	J j	Q q	X x
D d	K k	R r	Y y
E e	L l	S s	Z z
F f	M m	T t	
G g	N n	U u	

OBSERVEZ !

CES MOTS SONT EN MAJUSCULES

ces mots sont en minuscules

é = e accent aigu	. = point	? = point d'interrogation
è = e accent grave	, = virgule	! = point d'exclamation
ê = e accent circonflexe	; = point-virgule	- = trait d'union

3. Écoutez et lisez les dialogues.

– Qu'est-ce que c'est ?
– C'est un taxi.
– Comment ça s'écrit ?
– T, A, X, I.

– Je m'appelle Luc Salle.
– Vous pouvez épeler ?
– S, A, deux L, E.
– Merci !

4. Écoutez et écrivez les mots épelés.

→ *Aéroport : a - e accent aigu - r - o - p - o - r - t*

hôtel   aujourd'hui   homme   portugais
Méditerranée   boulangerie   voisin

LES NOMBRES

5. Écoutez et répétez.

0 zéro	10 dix	20 vingt	70 soixante-dix	100 cent
1 un	11 onze	21 vingt et un	71 soixante et onze	200 deux cents
2 deux	12 douze	22 vingt-deux	72 soixante-douze	...
3 trois	13 treize	...	...	1000 mille
4 quatre	14 quatorze	**30 trente**	**80 quatre-vingts**	2000 deux mille
5 cinq	15 quinze	31 trente et un	81 quatre-vingt-un	...
6 six	16 seize	32 trente-deux	...	
7 sept	17 dix-sept	33 trente-trois	**90 quatre-vingt-dix**	
8 huit	18 dix-huit	34 trente-quatre	91 quatre-vingt-onze	
9 neuf	19 dix-neuf	35 trente-cinq	...	
		36 trente-six		
		37 trente-sept		
		38 trente-huit		
		39 trente-neuf		
		40 quarante		
		...		
		50 cinquante		
		...		
		60 soixante		
		61 soixante et un		
		...		

6. Écoutez et repérez les nombres sur les documents.

1889

1889 :
année de
naissance
de la
Tour Eiffel

7

7 jours dans
la semaine

LUNDI
MARDI
MERCREDI
JEUDI
VENDREDI
SAMEDI
DIMANCHE

495

495 millions
d'habitants
dans
l'Union
européenne

320

320 baguettes par seconde
vendues en France

23

23 langues officielles dans l'Union
européenne

Mobilisons-nous !

DES DOCUMENTS POUR APPRENDRE

**Pour apprendre le français et découvrir la France,
vous allez observer des documents et répondre à la question « Qu'est-ce que c'est ? ».
Voici les types de documents que vous trouverez dans les leçons.**

C'est une affiche...

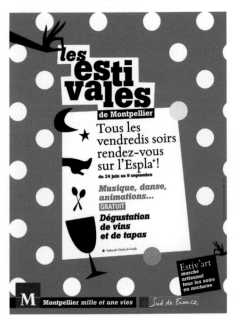

C'est un article...

Un métier d'avenir : *Community manager*

Aujourd'hui, beaucoup de grandes entreprises recherchent des personnes qui vont assurer leur promotion et leur communication *via* les réseaux sociaux.

Le rôle du community manager ?

Parler de l'entreprise à travers les réseaux sociaux, créer une communauté, un groupe de personnes liées à l'entreprise, publier des messages sur le Web (blog, forum…), mettre en ligne des photos, des vidéos…

Son profil ?

Bac +4 ou bac +5 dans une école de journalisme ou de communication.

Ses qualités ?

Être créatif et passionné par les nouvelles technologies, être ouvert et curieux.

C'est un mail...

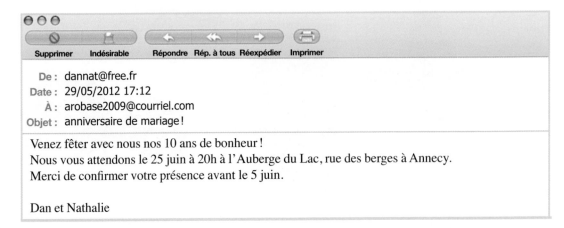

Supprimer	Indésirable	Répondre	Rép. à tous	Réexpédier	Imprimer

De : dannat@free.fr
Date : 29/05/2012 17:12
À : arobase2009@courriel.com
Objet : anniversaire de mariage !

Venez fêter avec nous nos 10 ans de bonheur !
Nous vous attendons le 25 juin à 20h à l'Auberge du Lac, rue des berges à Annecy.
Merci de confirmer votre présence avant le 5 juin.

Dan et Nathalie

Arriver en France

Objectifs

Donner son identité
Se présenter
Faire connaissance

Identité   Pays d'origine
Personne   État civil
signature   VISA
Domicile   Passeport
NATIONALITÉ

Nouveaux arrivants

http://www.jarrive.com

Vanilda PEREIRA DOS SANTOS
E-mail : vpereira23@free.fr
Téléphone : 06 25 60 61 62
Adresse : 1, rue de la Merci 34000 Montpellier

Marco PINTO
E-mail : marco-pinto@orange.fr
Téléphone : 03 20 96 53 44
Adresse : 219, avenue du Port 13001 Marseille

Liu LI
E-mail : li.liu@hotmail.com
Téléphone : 03 20 96 53 44
Adresse : 1, place de la Liberté 59000 Lille

Viktor KLEBER
E-mail : vikleber@vodafone.de
Téléphone : 06 07 64 29 81
Adresse : 5, rue de la Mairie 35000 Rennes

A

REPÉRER
1. Observez le document A.
a. Qui sont ces personnes ?
b. Où habitent ces personnes ?

2. Écoutez les messages. Regardez aussi la vidéo !
Qui parle ?

COMPRENDRE
3. Écoutez les messages encore une fois.
a. Relevez les phrases pour dire le nom. Retrouvez ensuite les noms des personnes sur les fiches.
b. Retrouvez les adresses des personnes sur les fiches.

4. Document A : lisez les fiches d'identité.
À l'aide du tableau, dites la nationalité
et le pays d'origine de Marco, Liu, Viktor et Vanilda.
→ *Marco, nationalité : espagnole. Pays : l'Espagne.*

Nationalité	Pays
espagnole	L'Allemagne
chinoise	L'Espagne
allemande	Le Brésil
brésilienne	La Chine

Simple comme bonjour !   Simple comme bonjour !   Simple comme bonjour !

Découvrir

5. Regardez les drapeaux.

Associez un pays et une capitale à chaque drapeau.
→ *Drapeau 4 : les États-Unis : c'est le drapeau américain.*
Washington : c'est la capitale américaine.

1		Suède	Lisbonne
2		Portugal	Rabat
3		Italie	Bruxelles
4		Belgique	Washington
5		Maroc	Rome
6		États-Unis	Stockholm

PRATIQUER

6. Dites votre nom !

Choisissez un nom dans la liste puis saluez votre voisin
et dites votre nom.
→ *Bonjour ! Je m'appelle Vincent Cassel.*

Vincent Cassel – James Bond – Harry Potter
Marylin Monroe – Brad Pitt – Julia Roberts

7. Laissez un message !

Relisez la fiche d'identité de Viktor (document A)
pour compléter le texte. Puis laissez un message sur
le répondeur de l'association « *J'arrive !* ».
→ *« Bonjour ! Je m'appelle Viktor. Je suis … . Mon numéro de*
téléphone, c'est le … . Mon adresse mail : … . Au revoir ! »

À VOUS !

8. Présentations

Vous laissez un message sur le répondeur de l'association
« *J'arrive !* ». Vous dites votre nom, votre nationalité, vous
laissez vos coordonnées.

MINUTES SON 🎧

Le rythme et les syllabes

Écoutez les phrases et séparez les mots par un espace. Répétez et faites
une pause après chaque mot.
→ Je m'appelle Vanilda

DONNER SON IDENTITÉ

Vocabulaire

> **L'identité**
- Un homme/une femme
- Le prénom
- La ville
- Le nom de famille
- La nationalité
- Le pays d'origine

> **La nationalité**
- Anglais(e)
- Marocain(e)
- Espagnol(e)
- Suédois(e)
- Italien(ne)
- Belge

> **Les noms de pays**

Noms masculins	Noms féminins
- Le Brésil - Le Japon - Le Portugal - Le Maroc - Le Chili	- La France - La Suède - La Norvège - La Chine - La Russie
Noms commençant par une voyelle	**Noms toujours au pluriel**
- L'Angleterre - L'Italie - L'Inde - L'Allemagne - L'Espagne	- Les États-Unis - Les Pays-Bas

> **Les coordonnées**
- L'adresse : le nom de la rue, la ville,
le code postal, le pays
- Le mail / le courriel : point, tiret, arobase
- Le numéro de téléphone

Communication

> **Saluer**
Bonjour Madame/ Monsieur !   Salut !
À bientôt !   Au revoir !

> **Dire le nom :**
- verbe S'APPELER + prénom (+ nom de famille)
Je m'appelle Alex. Je m'appelle Alex Sabal.
- verbe ÊTRE + prénom (+ nom de famille)
Je suis Viktor. Je suis Viktor Kleber.

> **Dire la nationalité :**
verbe ÊTRE + nationalité
Je suis français. / Je suis française.
Je suis allemand. / Je suis allemande.

→ *Voir Cahier d'entraînement* **U 1**

Premiers contacts

REPÉRER

1. Observez le document A.

Qu'est-ce que c'est ?

2. Écoutez le dialogue.

a. Qui parle : Charly ou Vanilda ?

b. Où se passe la scène ?

B

COMPRENDRE

3. Écoutez encore le dialogue.

a. Relevez les 7 informations demandées dans le dialogue.

b. Écoutez à nouveau et relevez les 7 réponses de Charly.

4. Écoutez bien !

a. Pour dire son lieu de naissance, Charly dit : « Je suis né **à** Londres, **en** Angleterre. »
Vanilda, Marco, Liu ou Viktor : qui dit les phrases suivantes ?

- Je suis née à Brasilia, au Brésil.
- Je suis né à Beijing, en Chine.
- Je suis né à Madrid, en Espagne.
- Je suis né à Berlin, en Allemagne.
- Je suis née à New York, aux États-Unis.

Pour vous aider, regardez le document A et les portraits p. 16.

b. Observez les exemples. Pour dire le lieu de naissance, quand est-ce qu'on utilise *à*, *en*, *au* et *aux* ?

Je pense donc je suis !   Je pense donc je suis !   Je pense donc je suis !

Exprimer

PRATIQUER

5. Vos coordonnées ?

Choisissez une carte de visite et à l'oral et répondez aux questions.

→ *Mon adresse : c'est 15, rue Saint-Jacques à Montpellier.*
Mon téléphone, c'est le 06 10 77 11 43.
Mon mail, c'est : alexsabal@free.fr.

- Votre adresse ?
- Votre numéro de téléphone ?
- Votre mail ?

Alex Sabal
15, rue Saint-Jacques
34000 Montpellier

06 10 77 11 43   alexsabal@free.fr

NICOLAS REBELLO
2, boulevard Saint-Antoine
75004 PARIS
06 07 87 26 18
nico-rebello @yahoo.com

Léa Joly
69, rue de Turenne
38000 Grenoble
06 62 45 79 76
lea.joly@gmail.com

6. Vanilda

Lisez le formulaire de Vanilda et complétez les phrases.
→ *Je m'appelle Vanilda.*

Je suis née le … , à … au … .
Je suis … .
J'habite … , à … .
Mon mail : … .
Mon numéro de téléphone, c'est le … .

À VOUS !

7. Adhérez !

Jouez la scène à 2 ! Vous êtes à l'accueil de l'association « *J'arrive !* ». Le secrétaire vous pose des questions pour compléter votre formulaire d'adhésion.

MINUTES SON

Les syllabes : écoutez ! Vous entendez combien de syllabes ?
→ *adresse = 2 syllabes : a/dresse*
date - naissance - nationalité - téléphone - domicile - identité

SE PRÉSENTER

Grammaire

> **Le verbe ÊTRE au présent de l'indicatif**

- Je suis
- Tu es
- Il/Elle est
- Nous sommes
- Vous êtes
- Ils/Elles sont

> **Les adjectifs possessifs mon/ma/votre**

• à la 1re personne du singulier (je) :
- **mon** → devant un nom masculin singulier :
Mon numéro de téléphone
- **ma** → devant un nom féminin singulier :
Ma situation de famille

• à la 2e personne du pluriel
(« vous » de politesse) :
- **votre** → devant un nom masculin ou féminin singulier :
Votre numéro de téléphone ?
Votre adresse ?

> **Les prépositions à, en, au, aux**

- **à** + ville
à Paris
- **en** + nom de pays féminin
en France
- **au** + nom de pays masculin singulier
au Brésil
- **aux** + nom de pays pluriel
aux États-Unis

Communication

> **Se présenter**

• La date de naissance :
Je suis né(e) le 25 avril 1985.

• Le lieu de naissance :
Je suis né(e) à Londres, en Angleterre.

• Les coordonnées :
Mon adresse, c'est 16, rue Neuve, 69000 Lyon.
Mon adresse mail, c'est : vpereira23@free.fr
Mon numéro de téléphone, c'est le 06 32 93 27 11.

• La situation familiale :
Je suis célibataire.
Il est marié.

> **Les mois de l'année**

- Janvier	- Avril	- Juillet	- Octobre
- Février	- Mai	- Août	- Novembre
- Mars	- Juin	- Septembre	- Décembre

→ *Voir Cahier d'entraînement* **U 1**

Soirée d'accueil

Vous arrivez à Montpellier ?
Rencontrez de nouveaux amis !

Quand ?
Samedi 14 septembre à 18h30

Où ?
Association *J'arrive !*,
6, place de la Comédie,
34000 Montpellier

 A

  B

 REPÉRER

 1. **Observez et écoutez les documents A et B.**

a. Document A : Qu'est-ce que c'est ? Où ça se passe ? C'est quand ?

b. Document B : Qui parle ? Ils sont où ?

COMPRENDRE

 2. Écoutez à nouveau les dialogues. Vrai ou faux ?

a. Alex et Julie se connaissent.

b. Vanilda parle anglais et suédois.

c. Lucas a 19 ans.

d. Lucas habite à Montpellier.

3. Écoutez à nouveau les dialogues et répondez aux questions.

a. Tu ou vous ?

- Dans les dialogues, repérez quand on dit « tu » et quand on dit « vous ».

- Dans votre langue, vous dites « tu » ou « vous » : à un professeur, à un camarade de classe, à un enfant ?

- Et en français, vous dites « tu » ou « vous » : à un professeur, à un camarade de classe, à un enfant ?

b. Être ou avoir ?

En français, pour dire l'âge, on utilise le verbe **être** ou le verbe **avoir** ?

Échanger

PRATIQUER

4. Dire son âge

Demandez son âge à votre voisin puis donnez sa date de naissance (imaginez le jour et le mois) !

→ *Quel âge tu as ? / Quel âge vous avez ?*

- *J'ai 33 ans.*
- *Tu es/Vous êtes né(e) le 25 juillet 1978 ?*
- *Non, je suis né(e) le 24 mars 1978 !*

5. Et toi ?

Transformez les phrases : utilisez « tu ».

→ *Je suis anglaise, et vous, vous êtes français ?* ➜ *Je suis anglaise, et toi, tu es anglaise ?*

a. Je suis italien. Et vous, vous êtes espagnol ?
b. Vous habitez à Paris ?
c. Moi, j'ai 23 ans. Et vous, vous avez quel âge ?
d. Vous parlez français ?
e. Comment vous vous appelez ?
f. Vous êtes espagnole ?

6. Bonjour, je m'appelle...

Complétez avec les verbes suivants : parle, avez, suis, habite, ai, appelle.

> a. *Bonjour, je m' ... Tomas. J'... à Paris. Je ... allemand. Je ... allemand et français. J'... 28 ans. Et vous, vous ... quel âge ?*
> b. *Bonjour, je ... Carla, je ... italienne. Je ... italien. J'... à Nice. J'... 21 ans. Et vous, vous ... quel âge ?*
> c. *Bonjour, je ... Sonia, je ... polonaise. Je ... polonais et russe. J'... à Toulouse. J'... 30 ans. Et vous, vous ... quel âge ?*

À VOUS !

7. Faites connaissance !

Vous êtes à la soirée d'accueil des nouveaux arrivants organisée par votre ville. Vous vous présentez aux autres invités.

MINUTES SON

L'intonation (1)

a. Écoutez : vous entendez une question ou une affirmation ?

→ *1. « ça va ? » = question*

b. Écoutez une deuxième fois et répétez.

FAIRE CONNAISSANCE

Communication

> Saluer

Dire « bonjour »	
situation formelle	situation informelle
- *Bonjour Madame / Monsieur / Mademoiselle !* - *Bonsoir Madame / Monsieur / Mademoiselle !*	- *Salut Alex !* - *Bonjour Vanilda*
- *Comment allez-vous ?* - *Vous allez bien ?*	- *Comment tu vas ?* - *Tu vas bien ?* - *Ça va ?*
Dire « au revoir »	
Au revoir Madame / Monsieur !	*Salut Louis !*
À bientôt / à demain / à plus tard *Bonne journée !* *Bonne soirée !*	

> Poser une question
- Si l'intonation monte, c'est une question :   *Il est français ?*
- Si l'intonation descend, c'est une affirmation :   *Il est français.*

> Demander et dire le domicile
On utilise le verbe habiter :
Vous habitez à Montpellier ?
Oui, j'habite rue de l'Université.

> Demander et dire l'âge
- Verbe avoir + nombre + an(s) : *J'ai 31 ans.*

Grammaire

> Le verbe AVOIR au présent de l'indicatif :
- J'ai
- Tu as
- Il/Elle a
- Nous avons
- Vous avez
- Ils/Elles ont

> Les pronoms toniques :
- Moi, je...
- Toi, tu...
- Lui, il.../Elle, elle...
- Nous, nous...
- Vous, vous...
- Eux, ils.../Elles, elles...

Moi, je m'appelle Matthias.
Je suis français, et toi ?
Je parle un peu espagnol, et vous ?

→ *Voir Cahier d'entraînement U 1*

Action !

Tâche finale

Vous arrivez en France. Pour rencontrer les habitants de votre nouvelle ville, vous contactez l'association « *J'arrive* ! ».

a. Vous complétez le formulaire d'adhésion puis vous écrivez un court message pour vous présenter.

b. Vous écrivez votre nom, votre nationalité, votre âge, votre situation de famille et les langues parlées.

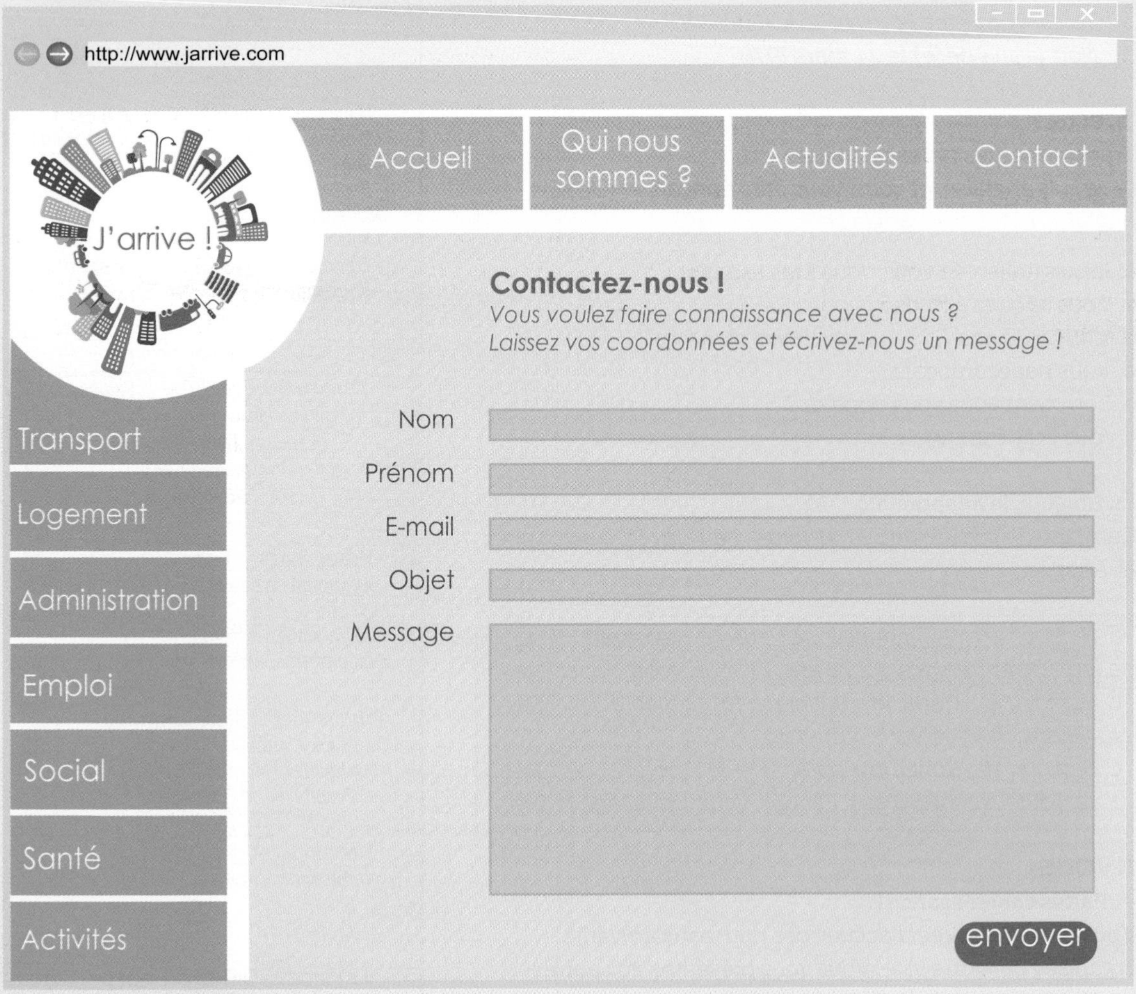

---

http://www.jarrive.com

J'arrive !

| Accueil | Qui nous sommes ? | Actualités | Contact |

Transport

Logement

Administration

Emploi

Social

Santé

Activités

Contactez-nous !

Vous voulez faire connaissance avec nous ?
Laissez vos coordonnées et écrivez-nous un message !

Nom

Prénom

E-mail

Objet

Message

envoyer

TACTIQUES

- Réunissez les informations pour vous présenter.
- Ensuite, pour écrire le message, pensez à utiliser les 3 verbes pour se présenter :
- s'appeler,
- être,
- avoir.

Préparation au DELF

COMPRÉHENSION DE L'ORAL

1 **Vous écoutez votre messagerie téléphonique.**
Notez le numéro de téléphone de ces personnes :
Marie, Julien, Cécile, Fred.

2 **Lisez le document et écoutez le dialogue.**
Retrouvez l'adresse de Monsieur Fontaine.

a.
Marc Fontaine
67, rue des Tournelles
13007 Marseille

b.
Martin Fontaine
16, rue des Tours
13007 Marseille

c.
Mathieu Fontaine
76, rue des Tourelles
13007 Marseille

COMPRÉHENSION DES ÉCRITS

3 **Lisez ce document et répondez aux questions.**

LANGUES étrangères

FICHE DE PRÉ-INSCRIPTION N°_____

[X] Je suis débutant [ ] Je ne suis pas débutant
[ ] Mme [X] Mlle [ ] M.

NOM : | R | O | S | S | I | | | | | |

PRÉNOM : Mila

DATE DE NAISSANCE : | 2 | 4 | 0 | 8 | 1 | 9 | 8 | 6 |

ADRESSE dans votre pays :
Via Garibaldi, 4

VILLE : Florence

PAYS : Italie

TÉL. :

E-MAIL : mila.rossi@hotmail.com

J'ai connu l'école par : un ami

Autres langues étrangères : anglais et espagnol

Cours en journée : [ ] Cours du soir : [X]

Assurance
Avant de venir en France,
vous devez vérifier que vous êtes assurés
pour toute dépense médicale ou annulation voyage.

Pour m'inscrire, j'apporte :
• 2 photos
• mon passeport
• une photocopie de mon visa *(non Européens uniquement)* et/ou de ma carte de séjour *(non Européens uniquement)*
• mon règlement

Je certifie avoir pris connaissance des conditions générales et déclare les accepter

Date : Le 10/12/2011
Signature : *Mila Rossi*

a. Pour son inscription, quels documents Mila apporte ?

1

ASSURSECUR
Attestation d'assurance
Séjour longue durée à l'étranger et rapatriement
ANNÉE 2012-2013
MILA ROSSI
VIA GARIBLADI, 4
FLORENCE
ITALIE
N° 2516185/000000035472

2

3

4

5

b. Pour le test de placement de l'école, Mila se présente. Vous écrivez le texte de présentation de Mila avec les informations de la fiche de pré-inscription.
« Bonjour, je m'appelle .... ».

ET PLUS ...

1. 4 FAÇONS DE SE SALUER DANS LE MONDE

Au Japon — Konnichi wa !

En Inde — Namasté !

En Espagne — ¡ Buenas días !

En France — Bonjour !

> En France, on se salue comment ?

> Et dans votre pays, on se salue comment ?

2. L'USAGE DE LA BISE EN FRANCE

1 bise　2 bises　3 bises　4 bises　5 bises

> En France, chaque région a ses usages.
Pour faire la bise, on doit se poser 2 questions :
Qui on embrasse ? Combien de bises ?

> Et dans votre pays, est-ce qu'on se fait la bise ?

Vie privée, vie publique

Objectifs

Parler de son activité professionnelle
Poser des questions sur une personne
Parler d'une activité

Au travail !

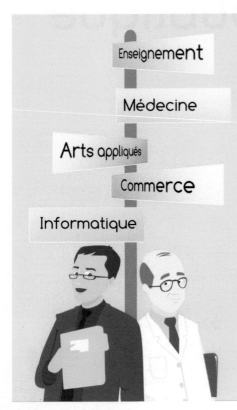

FORUM DES MÉTIERS

POUR LES ÉTUDIANTS ET LES PROFESSIONNELS

Vous souhaitez changer d'orientation ?
Vous vous interrogez sur votre avenir ?
Vous souhaitez connaître un métier ?
Vous souhaitez suivre une formation ?
Informez-vous !

Spécial étudiants

Vous apprenez les langues ?
Devenez interprète, traducteur ou enseignant...
Vous étudiez l'économie, le commerce ?
Devenez vendeur, directeur
commercial ou comptable...
Vous aimez les sciences ?
Devenez infirmier, médecin ou chercheur...

Rendez-vous :
10-12 février 2012
au Coeur de ville

coeur de ville

mission locale

VENEZ RENCONTRER DES PROFESSIONNELS !

Enseignement

Médecine

Arts appliqués

Commerce

Informatique

REPÉRER [A]

1. Observez le document A.

Document A : qu'est-ce que c'est ? Ce document parle de quoi ? Quelles informations sont données ?
Pour qui ?

2. Écoutez les dialogues. Regardez aussi la vidéo !

Qui parle ? Ils sont où ?

COMPRENDRE

3. Écoutez encore les dialogues.

a. Est-ce que les personnes se connaissent ?

b. Dialogue 1 : Qui est Monsieur Léoni ?

c. Dialogue 2 : Qui est Madame Lenoir ?

d. Dialogue 3 : Qui est Monsieur Rouvier ?

4. Écoutez à nouveau.

a. Relevez les mots pour demander :
- la profession,   - le domaine d'études.

b. Relevez les mots pour dire :
- la profession,   - le secteur d'activités ou le domaine d'études.

c. Écoutez encore et observez les terminaisons des mots. Qu'est-ce que vous remarquez ?

*Je voudrais rencontrer le direct**eur** commercial de Maxéco. C'est Monsieur Léoni.*

*C'est Madame Lenoir, c'est la créat**rice** de Touparnet.*

*Je suis informatic**ienne**.*

Découvrir

PRATIQUER

5. Professions

À l'aide du tableau, transformez au masculin ou au féminin.

Masculin	Féminin
Avocat	Avocate
Boulanger	Boulangère
Serveur	Serveuse
Directeur	Directrice
Informaticien	Informaticienne
Architecte	Architecte

→ *Il est chercheur* ➡ *Elle est chercheuse.*
Elle est technicienne ➡ *Il est technicien.*

1. Elle est productrice.
2. Il est coiffeur.
3. Il est architecte.
4. Il est commercial.
5. Elle est pâtissière.
6. Elle est musicienne.
7. Elle est chercheuse.
8. Il est infirmier.

6. Qu'est-ce qu'il/elle fait ?

Quelle est la profession de chaque personne ?
→ *Photo 1: Il est journaliste.*

À VOUS !

7. Et vous, qu'est-ce que vous faites dans la vie ?

Vous interrogez une personne du groupe sur son activité professionnelle ou sur ses études. Ensuite, vous la présentez.

MINUTES SON

Le repérage des marques orales du féminin. (1)
Écoutez : masculin, féminin, ou bien on ne sait pas ?
→ *Créatrice* ➡ *Féminin*

PARLER DE SON ACTIVITÉ PROFESSIONNELLE

Vocabulaire

> **Le domaine d'études**
- Les lettres
- Les mathématiques
- L'économie
- Le commerce

> **Les professions**
- Directeur
- Commercial
- Informaticien
- Professeur
- Traducteur
- Infirmier
- Boulanger
- Médecin

Communication

> **Demander l'activité**
Qu'est-ce que... ?
Qu'est-ce que vous faites dans la vie ?
Qu'est-ce que vous étudiez ?
Quel/quelle... ?
Quel est votre métier ?
Quelle est votre profession ?

> **Dire l'activité**
Je suis informaticien. / Elle est directrice.
J'étudie la médecine.
Je fais des études de journalisme.

> **Préciser la profession et l'entreprise**
- C'est + article défini + profession + précision
C'est le directeur de l'entreprise Toutparnet.

Grammaire

> **Les articles définis**
On les utilise quand l'objet est précisé.
- **Le** devant un nom masculin.
Il travaille dans le commerce international.
- **La** devant un nom féminin.
J'étudie la finance.
- **L'** devant un nom masculin ou féminin, commençant par une voyelle.
Elle travaille dans l'informatique.
- **Les** devant un nom pluriel.
Il étudie les mathématiques.

> **Former le féminin d'un nom de métier**
- On ajoute un e : *avocat > avocate*
- On transforme la terminaison :
- **er > ère**   *boulanger > boulangère*
- **eur > euse**   *serveur > serveuse*
- **teur > trice**   *directeur > directrice*
- **ien > ienne**   *informaticien > informaticienne*
Certains noms sont identiques au masculin et au féminin : *architecte / architecte*

➡ *Voir Cahier d'entraînement* **U 2**

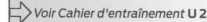

travaille... Quelque chose me travaille... Quelque chose me travaille... Que

Qui fait quoi ?

REPÉRER

1. Observez les documents A et B.

Il y a combien de personnes sur l'organigramme ?
Et dans le dessin ?

2. Écoutez l'interview.

a. Quelle est la profession de Boris Fournier ?
b. Boris Fournier travaille avec qui ?
c. Qui travaille en salle ? En cuisine ?
Et au bureau ?

3. Écoutez à nouveau l'interview.

a) Relevez les questions du journaliste.
b) Observez le mot « quel/quelle/quelles » dans les phrases suivantes :

Quel est votre nom s'il vous plaît ? Quelle est votre profession ? Quelles sont les difficultés ?
Qu'est-ce que vous remarquez ?

A | *Le Rendez-vous des amis*

Organigramme de l'entreprise

ADMINISTRATION
Directeur
Secrétaire

SALLE	CUISINE
Serveur	Cuisinier
Serveuse	Pâtissière
Barman	

Société : *Le Rendez-vous des amis*

B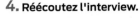

COMPRENDRE

4. Réécoutez l'interview.

Boris Fournier présente le travail au restaurant
Le Rendez-vous des amis. Qui sont François,
Sylvie, Marine, Gaëlle, Julien et Gaspard ?
→ *François est le père de Boris. C'est le directeur.*

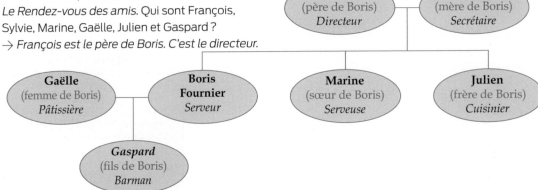

François
(père de Boris)
Directeur

Sylvie
(mère de Boris)
Secrétaire

Gaëlle
(femme de Boris)
Pâtissière

Boris Fournier
Serveur

Marine
(sœur de Boris)
Serveuse

Julien
(frère de Boris)
Cuisinier

Gaspard
(fils de Boris)
Barman

Exprimer

PRATIQUER

5. La famille Fournier

Par deux, à l'oral, demandez et décrivez la famille de Boris.
Aidez-vous de l'arbre généalogique page 28.
→ *Qui est Boris ? C'est le fils de Sylvie et François.*
C'est le frère de Marine.

6. Présentez-vous, s'il vous plaît !

Posez des questions sur :
- le nom,
- le prénom,
- l'adresse,
- le numéro de téléphone,
- la profession,
- la situation familiale.

→ *La nationalité* → *Quelle est votre nationalité ?*

À VOUS !

7. Votre famille !

Présentez deux personnes de votre famille (nom, âge, profession, situation familiale...). Aidez-vous de l'arbre généalogique ci-dessous :

grand-père   grand-mère   grand-père   grand-mère
père   mère
fille   fils

MINUTES SON

Les lettres finales muettes.
Écoutez les mots et repérez les lettres finales qu'on ne prononce pas.
→ *il parle̷*

mère	sœur	deux	cuisine	cuisinier
important	des gens	beaucoup	Gaspard	

POSER DES QUESTIONS SUR UNE PERSONNE

Grammaire

> **Le mot interrogatif QUEL**
Il existe 4 formes.

	masculin	féminin
singulier	quel	quelle
pluriel	quels	quelles

Quel est votre nom ?
Quelles sont vos coordonnées ?

> **Les possessifs pluriel**
- Je ⬜ mes   *Mes parents habitent à Paris.*
- Tu ⬜ tes   *Tes cousins parlent italien ?*
- Il/elle ⬜ ses   *Ses études sont intéressantes.*
- Vous ⬜ vos   *Vos grands-parents travaillent ?*

> **Le verbe faire**

Je fais	Nous faisons
Tu fais	Vous faites
Il / elle fait	Ils / elles font

Communication

> **Demander des informations sur quelqu'un**

- L'interrogation avec QUI :
Qui est-ce ? (formel) / C'est qui ? (familier)

- L'interrogation avec QUEL : quel + verbe + nom
Quel est son nom ? Quelle est sa profession ?

> **Présenter quelqu'un :**

- C'est + nom singulier
C'est la sœur de Boris.
C'est sa sœur.

- Ce sont + nom pluriel
Ce sont mes parents.
Ce sont les responsables de notre entreprise.

Vocabulaire

> **La famille**
La situation de famille : célibataire, en couple, marié(e), divorcé(e)
Le mari, la femme, le père, la mère
Le frère, la sœur, le fils, la fille
Les parents, les enfants, les grands-parents
L'oncle, la tante, le cousin, la cousine

→ *Voir Cahier d'entraînement U 2*

Chacun son métier !

http://www.carrevip.com

carré VIP — Qui est-ce ?

1 Amélie Nothomb **2** Juliette Binoche **3** Vanessa Paradis **4** JP Gaultier **5** Paul Bocuse

1. Il travaille à midi et le soir. Il prépare des spécialités. Il invente des recettes, il crée des menus. Il ne travaille pas dans un bureau et dirige les cuisiniers. Il a une profession stressante et fatigante.

2. Elle invente des histoires, elle imagine et elle crée des personnages. Elle n'a pas un métier ennuyeux. Elle n'est pas française. C'est un auteur belge. C'est l'auteur de *Stupeur et tremblements*.

3. Il a une profession intéressante. Il dessine et crée des vêtements. Il organise des défilés. C'est un Français très célèbre.

4. Elle a un métier amusant. Elle voyage beaucoup. Elle travaille dans le cinéma. C'est une actrice française. Attention, elle n'est pas mariée avec un acteur américain...

A

REPÉRER

1. Observez le document A.

Quel est ce document : une publicité, un jeu ou une interview ? Vous connaissez ces célébrités françaises ?

COMPRENDRE

2. Lisez le document A.

a. Associez les devinettes aux photos.

→ *devinette 1 : C'est Paul Bocuse, c'est un chef cuisinier français.*

b. Est-ce qu'Amélie Nothomb est française ? Est-ce que l'actrice est mariée avec un acteur américain ?

c. Repérez la marque de la négation.

3. Lisez à nouveau le document.

a. Dites qui a :
- une profession amusante,   - un métier intéressant,   - une profession fatigante.
- une profession stressante,   - un métier calme,

b. Observez les formes du féminin des adjectifs. Qu'est-ce que vous remarquez ?

PRATIQUER

4. Dites « Non » !

Répondez par Non !

→ *Vous êtes français ? Non, je ne suis pas français.*

a. Vous parlez allemand ? Non, je...   c. Tes parents habitent à Lille ? Non, ils...
b. Tu connais Zidane ? Non, je...   d. Elle est suisse ? Non, elle...

En France, 12 000 entreprises familiales ont plus de 100 ans.   En France,

Échanger

5. C'est comment ?

Utilisez des mots de chaque colonne pour parler des métiers.
Attention au masculin et au féminin !

Informaticien	Intéressant	Fatigant
Vendeur	Stressant	Amusant
Secrétaire	Utile	Ennuyeux
Médecin		
Auteur		

→ *Médecin : C'est une profession utile et fatigante.*

6. Vous connaissez ?

Est-ce que vous connaissez : un acteur/une actrice célèbre,
un chanteur/une chanteuse célèbre, un joueur/une joueuse
de tennis célèbre, un auteur célèbre... ?
Échangez avec votre voisin comme dans l'exemple.
→ *– Tu connais une chanteuse célèbre ?*
– Oui, Vanessa Paradis : c'est une chanteuse française.

7. Et vous, vous faites quoi ?

a. En groupe, retrouvez les activités de ces personnes :
- un directeur,   - un professeur,
- un étudiant,   - un journaliste.

*Préparer un cours – Organiser une réunion – Voyager –
Parler une langue étrangère – Diriger une équipe – Parler
en public – Rencontrer des personnes célèbres – Avoir des
responsabilités – Regarder des films – Discuter avec des
clients – Donner des informations – Étudier – Téléphoner à
des clients – Chercher une solution.*

b. Et vous, qu'est-ce que vous faites ? Listez vos activités.

À VOUS !
8. Devinettes

a. Écrivez une devinette pour la dernière photo du document A.
b. Préparez une devinette sur une personne célèbre (vous
pouvez donner sa nationalité, sa situation familiale, son
âge). Expliquez ensuite ses activités professionnelles, puis
proposez votre devinette au groupe.

MINUTES SON

Le repérage des marques orales du féminin (2)
a. Écoutez et dites si c'est un homme ou une femme.
b. Écoutez et répétez.

PARLER D'UNE ACTIVITÉ

Communication

> **Caractériser quelqu'un**
- C'est un / une + profession (+ adjectif)
C'est un chanteur canadien.
- Ce n'est pas + un/une
Ce n'est pas un serveur.

Grammaire

> **Les articles définis et indéfinis**

	masculin	féminin	pluriel
Article indéfini	un	une	des
Article défini	le	la	les

→ *C'est une chanteuse française, c'est la
chanteuse de « Je suis un homme ».*

⚠ Devant un nom singulier commençant par une
voyelle : le et la → l' → *l'informatique.*

> **Les verbes en -er**
- Les verbes en **-er** se conjuguent comme le verbe
travailler :

Je travaille	Nous travaillons
Tu travailles	Vous travaillez
Il/elle travaille	Ils/Elles travaillent

> **La négation**
- sujet + **ne** + verbe + **pas**
Je ne travaille pas.

> **L'accord des adjectifs (1)**
- Pour former le féminin des adjectifs :
on ajoute un e   *marié / mariée*
- Quand l'adjectif termine avec un -e, il ne change
pas au féminin.
Un métier utile, une profession utile.
- Pour les autres : on ajoute un e à l'écrit, et l'oral
est différent.
⚠ On entend [t]   *important / importante*
⚠ On entend [z]   *sérieux / sérieuse*

Vocabulaire

> **Activités**

rencontrer	voyager	pratiquer
organiser	diriger	étudier

> **Caractériser une activité**

intéressant	sérieux	facile ≠ difficile
important	amusant	utile ≠ inutile
fatigant	dangereux	calme
stressant	ennuyeux	dynamique

→ *Voir Cahier d'entraînement* **U 2**

Action !

Tâche finale

Vous êtes au salon des entrepreneurs pour créer une entreprise.
a. Vous choisissez vos collègues et vous imaginez l'activité de votre entreprise.
b. Vous vous documentez et vous présentez votre projet : le nom et les personnes de l'entreprise.

TACTIQUES

- Choisissez deux ou trois personnes pour réaliser la tâche.
- Imaginez que vous êtes collègues de travail et que vous commencez ensemble un nouveau projet, utilisez les qualités de chacun pour choisir vos activités.
- Pour présenter votre projet, utilisez les constructions étudiées dans cette unité :
c'est un / une + profession + adjectif
c'est le / la + profession
Il / elle est + profession

Préparation au DELF

COMPRÉHENSION DE L'ORAL

1 **Choisissez la réponse correcte.**

1. a. Elle s'appelle Judith ?
 Elle s'appelle Julie ?
 Elle s'appelle Solène ?
 b. Elle est fleuriste.
 Elle travaille le week-end.
 Elle ne travaille pas.
 c. Elle étudie l'économie.
 Elle étudie la finance.
 Elle étudie le management.

2. a. M. Deluce est anglais ?
 Il est canadien ?
 Il est français ?
 b. C'est un client.
 C'est un collègue.
 C'est le nouveau directeur.
 c. Il est marié.
 Il est célibataire.
 On ne sait pas.

3. a. Martin est directeur ?
 Il est secrétaire ?
 Il est présentateur ?
 b. Il est marié.
 Il est divorcé.
 Il est célibataire.
 c. Il est sérieux.
 Il est nerveux.
 Il est joyeux.

COMPRÉHENSION DES ÉCRITS

2 **Lisez ce document. Répondez aux questions et réalisez un tableau en suivant le modèle.**

a. J'ai un problème de voiture. Je contacte…
b. Je veux apprendre le piano. Je contacte…
c. Je fais des études de journalisme et
 je cherche un stage. Je contacte…
d. Je voudrais créer un site internet. Je contacte…

A — MARION DUBOIS — Professeur de piano — 10 place des Coutures 93170 Bagnolet — 01 55 86 90 61 — Contact : mariondub@free.fr

B — Jean-Marc OLINGER — Garagiste — Dépannage — 39 rue Mozart — 38000 Grenoble — 08 84 12 79 32 — jmolinger@yahoo.fr

2. Quelles phrases il/elle peut dire ?
1. Je donne des cours à des élèves.
2. Je crée des sites Internet.
3. Je prépare des interviews.
4. Je répare des voitures.
5. Je rédige des articles.
6. Je donne des concerts.
7. Je parle beaucoup avec mes clients.
8. Je voyage beaucoup.

C — Yasmina MÉLIE — Journaliste-reporter — 4 rue du Lac — 24000 Sarlat — Tél. 06 87 52 89 45 — yasmelie@infolibre.net

D — SYLVAIN PILLIER — Ingénieur informatique — 34 avenue de Longchamps — 75008 Paris — Tél. 06.13.57.84.90 — sylvainpillier4@orange.fr

Carte de visite	A	B	C	D
Phrases	*Ex : 6*			

PRODUCTION ORALE

3 **Regardez la fiche de renseignements ci-contre et présentez la personne.**

Nom Prénom	Otru Blandine
Âge	32 ans
Situation familiale	Mariée, 2 enfants (3 ans et 7 ans)
Profession	Responsable du service client chez SB
Adresse	23 rue du Docteur Calmette 92100 St Cloud
Tél.	01 56 83 96 03
Couriel	botru@gmail.com

ET PLUS …

SERGE GAINSBOURG, UN GRAND ARTISTE

Serge Gainsbourg (2 avril 1928 - 2 mars 1991) est peintre, auteur, compositeur, pianiste, écrivain, acteur et cinéaste !
Sa deuxième femme Jane Birkin et leur fille Charlotte Gainsbourg sont aussi des artistes très connues en France et dans le monde.

> Vous connaissez des chansons ou des films de Serge Gainsbourg, Jane Birkin et Charlotte Gainsbourg ?

> Dans votre pays, quelle est l'image de cette famille d'artistes ?

> Vous pouvez vous documenter sur cette famille célèbre et découvrir les autres artistes de la famille.

SONIA RYKIEL ET SA FILLE

Sonia Rykiel est née en 1930 à Paris, à Saint-Germain-des-Prés. C'est une femme moderne ! En 1968, elle crée son premier vêtement et elle ouvre sa première boutique. Dans le monde entier, elle représente la femme parisienne. Elle a aujourd'hui plusieurs métiers : créatrice, couturière, écrivain et actrice ! Elle crée aussi des parfums. Elle travaille beaucoup avec sa fille, Nathalie Rykiel : elle est mannequin et c'est la présidente de la marque.
Une histoire réussie de travail en famille !

> Quels sont les métiers de Sonia et Nathalie Rykiel ?

> Est-ce que vous connaissez d'autres grands couturiers français ?

CARNET PRATIQUE

> D'autres familles françaises célèbres
Auguste Renoir, peintre et ses fils : Pierre, réalisateur et Jean, acteur.
La famille Peugeot : Peugeot est une marque de voiture.
La famille Hermès : célèbre pour ses produits de luxe.
La famille LU : fondée par Monsieur Lefèvre et Mademoiselle Utile, célèbre pour son petit-beurre.
> Lectures
En famille, d'Hector Malot.
La Gloire de mon père, Marcel Pagnol.
La Femme du boulanger, Marcel Pagnol.
Le Champ de personne, Daniel Picouly.
> Cinéma
On connaît la chanson, Alain Resnais.
Potiche, François Ozon.
Un air de famille, Cédric Klapisch.
> Informations
Site Internet « Les métiers.net » pour découvrir des professions en vidéo, en français.
Le Salon des Étudiants (à Paris, au mois de mars) : pour s'informer sur les métiers et les entreprises en France.
CIDJ, site Internet et adresse à Paris : pour s'informer sur les métiers et les formations.

Des goûts et des couleurs...

Objectifs

Décrire quelqu'un
Interroger sur les centres d'intérêt
Parler de ses habitudes

Tribu

Groupe Réseau AIMER

Communauté famille Amis Individu

PERSONNE SOCIÉTÉ

Tribus urbaines

Ils portent les mêmes vêtements, ils forment un groupe, une « tribu urbaine ». Mais ils sont différents !
Qu'est-ce qu'ils font ? Qu'est-ce qu'ils aiment ?

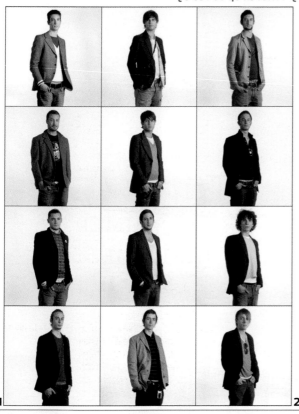

A 1   2

REPÉRER

1. **Qu'est-ce que ça veut dire : « tribus urbaines » ?**

2. **Observez le document A.**

a. Qu'est-ce qu'il montre ?   b. Choisissez un nom pour les photos.   c. Quelle photo vous préférez ?

3. **Écoutez le document audio. Regardez aussi la vidéo !**

Qui parle ? De qui ?

COMPRENDRE

4. **Écoutez encore.**

a. Ces hommes ont quel âge ? Qu'est-ce qu'ils font dans la vie ?

b. Associez ces phrases aux bonnes photos.

- Ils portent un pantalon, un tee-shirt ou une chemise. Ils ont un sac à dos.

- Ils portent une veste, un pull et un jean.

c. Quels sont les centres d'intérêts des 2 « tribus » ?

→ *Tribu 2 : Ils adorent voyager.*

😁 Ils adorent. ☺ Ils aiment beaucoup. 🙂 Ils aiment bien. ☹ Ils n'aiment pas. ☹ Ils détestent.

d. Quelle tribu préfère la nature ?

Retourner sa veste   Retourner sa veste   Retourner sa veste   Retourner

Découvrir

5. Observez.

Observez ces phrases :

→ *Ils n'aiment pas **la ville**. Ils préfèrent **la nature**.*

*Ils n'aiment pas **marcher**. ≠ Ils aiment **marcher**.*

Pour parler de ses centres d'intérêt, qu'est-ce qu'on utilise après les verbes **aimer** et **préférer** : un nom, un verbe ou les 2 ?

PRATIQUER

6. Qui est-ce ?

Utilisez les vêtements de la liste pour décrire une personne du document A. Votre voisin devine qui c'est.

> un chapeau – une veste grise – un pull vert – un pull jaune
> des lunettes – un jean bleu – un pantalon blanc et bleu
> un tee-shirt gris – un sac à dos

→ *Il porte une veste grise, un pull vert et un jean bleu. Qui est-ce ?*

7. Vous aimez ?

a. Associez les verbes aux noms.

→ *Voyager* → *les voyages*

Danser	Le bricolage
Dessiner	La peinture
Bricoler	Le jardinage
Jardiner	La lecture
Peindre	La danse
Lire	Le dessin

b. Complétez la liste. Dites ce que vous préférez. Écrivez 6 phrases comme dans l'exemple.

→ *J'adore la lecture. J'aime beaucoup danser.*

J'aime lire. J'aime bien le dessin. Je n'aime pas peindre.

Je déteste le bricolage.

À VOUS !

8. Qui sont-ils ?

Ils portent une chemise blanche, une cravate, un costume noir ou gris et des chaussures noires.

Qui sont-ils ? Imaginez les centres d'intérêts et les professions de ces hommes et donnez un nom à leur tribu.

MINUTES SON

a. Écoutez et repérez les liaisons entre les mots.

→ *Ils aiment*

Ils adorent	Vous avez	Nous avons	Ils ont
Vous aimez	Les étudiants	Mes amis	Deux enfants

b. Quel son vous entendez : [s] ou [z] ?

→ *Voir Cahier d'entraînement **U 3***

Je m'habille donc je suis !

INTERVIEW EXPRESS

Fiche 127

Pseudo : Vince

Âge : 42 ans

Situation professionnelle :

médecin

Look aujourd'hui : veste grise, jean noir, tennis noires

Physique : grand et blond

Couleur préférée : gris

Centres d'intérêt : les voyages, le cinéma, l'opéra, le sport

Fait à Paris, le 10 janvier 2012

A

INTERVIEW EXPRESS

Fiche 128

Pseudo : Miss K

Âge : 25 ans

Situation professionnelle :

styliste

Look aujourd'hui : jean bleu, chemise verte

Physique : petite et brune

Couleur préférée : bleu

Centres d'intérêt : la mode, la musique (le pop-rock), les jeux vidéo

Fait à Paris, le 18 janvier 2012

REPÉRER

1. Observez le document A.
Qu'est-ce que c'est ?

2. Écoutez les interviews.
a. Qui sont les personnes interviewées ?
Retrouvez leur fiche dans le document A.
b. De quoi elles parlent ?

COMPRENDRE

3. Écoutez à nouveau les interviews.
a. Quelles informations apparaissent sur les fiches :
- les goûts et les préférences ?   - le nom ?
- la tenue vestimentaire ?   - les loisirs ?
- la taille et la couleur des cheveux ? - l'âge ?
- la profession ?   - la nationalité ?
b. Quelles questions le journaliste pose pour connaître les goûts et les loisirs ?
c. Écoutez, puis observez les différences entre ces questions.

4. Écoutez encore les interviews.
a. Est-ce que les personnes interviewées préfèrent les activités culturelles ou les activités sportives ?
→ *Il/Elle préfère les activités … ; il/elle fait … ; il/elle va …*
b. Comment les personnes parlent de leurs loisirs ? FAIRE + …. ou ALLER + …

Chacun ses goûts !   Chacun ses goûts !   Chacun ses goûts !   Chacun ses g

Exprimer

5. Document A : observez le document.

Relevez les mots pour dire le physique. Ces mots sont au féminin, au masculin, au singulier ou au pluriel ? Expliquez !

PRATIQUER

6. Questions

a. Associez les questions et les réponses.

→ *Est-ce que vous faites du sport ?*

➡ *Oui, je fais du sport : je fais du tennis !*

- Est-ce que tu fais de la musique ?
- Qu'est-ce qu'ils font le week-end ?
- Quels sont vos loisirs ?
- Est-ce que vous aimez l'opéra ?
- Est-ce que Marie va au théâtre le week-end ?
- Qu'est-ce qu'il fait le samedi ?

➡

- Oui, on adore ! Nous allons souvent à l'opéra.
- Nous faisons du théâtre.
- Non, elle déteste ça !
- Oui, je fais du piano.
- Ils vont à la mer.
- Il va à la piscine : il aime nager.

7. Adjectifs

Transformez au masculin ou au féminin, au singulier ou au pluriel.

→ *Une fille grande et blonde* ➡ *un garçon grand et blond.*

a) Une femme petite et mince ➡ un homme ....
b) Un enfant grand et brun ➡ une enfant ....
c) Des lunettes noires ➡ des sacs .....
d) Des chemises blanches ➡ des pantalons ...
e) Des pulls bleus ➡ des robes ...

À VOUS !

8. Interview express

Vous êtes journaliste. Vous faites une « interview express » de 3 personnes de votre classe : vous les questionnez sur leurs goûts et leurs activités.

MINUTES SON

L'intonation (2)

a. Écoutez les questions : l'intonation est montante ⬈ ou descendante ⬊ ?
b. Transformez les questions.

→ *Vous aimez le chocolat ?* ➡ *Est-ce que vous aimez le chocolat ?*

INTERROGER SUR LES CENTRES D'INTÉRÊT

Grammaire

> **Parler de ses activités et de ses loisirs**

	Faire de + nom d'activité	Aller à + nom de lieu
Nom masculin	Faire du ...	Aller au ...
	Je fais du yoga.	Je vais au cinéma.
Nom féminin	Faire de la ...	Aller à ...
	Je fais de la natation.	Je vais à la piscine.
Nom commençant par une voyelle	Faire de l'...	Aller à l'/la ...
	Je fais de l'athlétisme.	Je vais à l'opéra.

> **Le verbe ALLER au présent de l'indicatif**
- Je **vais**
- Tu **vas**
- Il/Elle **va**
- Nous **allons**
- Vous **allez**
- Ils/Elles **vont**

> **L'accord des adjectifs (2)**
Les adjectifs prennent le genre et le nombre du nom.
- Féminin = masculin : rouge, jaune, rose
- Féminin = masculin + e : grand, grande
- Féminin ≠ masculin : blanc, blanche

⚠ Pluriel = singulier + s : noir/noirs, noire/noires

Communication

> **Poser des questions**

· Questions fermées (réponse oui/non) :
- **Est-ce que** + sujet + verbe .... ? ⬈
- Sujet + verbe... ? ⬈
– Est-ce que vous aimez la musique ?
= Vous aimez la musique ?
– Oui j'aime. – Non, je n'aime pas.

· Questions ouvertes :
- **Qu'est-ce que** + sujet + verbe ... ?
– Qu'est-ce que vous faites le dimanche ?
– Je fais du sport.

> **Pour dire la couleur d'un objet**
nom + adjectif de couleur
Un jean bleu, une chemise verte, des lunettes noires.

> **Pour décrire une personne : être + adjectif**
Il est grand, mince et brun.
Elle est grande, mince et brune.

➡ *Voir Cahier d'entraînement U 3*

À Paris et ailleurs...

et chez vous?

PARIS : *POURQUOI ?*

Ils ne sont pas parisiens mais ils vivent à Paris. Ils aiment Paris et les Parisiens… POURQUOI ?

*Tom, 30 ans,
né à New York,
aux États-Unis.*

Pourquoi vous aimez Paris ?
Parce que j'aime ses habitants,
parce qu'on est très différents !
Par exemple… Ils adorent leur train,
le TGV, mais nous, on préfère l'avion.
Et les Parisiens n'aiment pas parler
anglais !
Le dimanche matin, ils vont au
marché et l'après-midi, ils vont
au musée ou au cinéma.
Nous, à New York, nous faisons
du sport : on aime bien marcher
et courir ! Nos parcs sont plus
grands…

*Paola, 26 ans et Lucas,
30 ans, nés à São Paulo,
au Brésil.*

Pourquoi vous aimez Paris ?
Parce qu'on adore les
magasins parisiens ! Leurs
vitrines sont superbes !
On aime bien faire la fête
à Paris, mais on préfère les
soirées brésiliennes !
Ici, c'est bizarre : les
Parisiens n'aiment pas
le dimanche ! Ils vont au
restaurant japonais (ils adorent les sushis) ou ils vont
au cinéma… et voilà ! Nous, à São Paulo, on va au
restaurant en famille tous les dimanches… Notre ville est
différente et nos habitudes aussi !

A *Vu par* - N° 2

REPÉRER

1. Lisez le titre et le chapeau du document A.

a. De quoi s'agit-il ? Quel est le sujet du document ?

b. Est-ce que Paola, Lucas et Tom sont parisiens ?

COMPRENDRE

2. Document A : lisez les interviews.

a. Quelle est la question du journaliste ?

b. Qu'est-ce que les Parisiens aiment ? Qu'est-ce qu'ils font ? À quels moments ?

Retrouvez les photos (document B) correspondant aux réponses de Tom, Paola et Lucas.

→ *Les Parisiens aiment les sushis. (Paola et Lucas)* ➜ *photo n°5*

3. Document A

a. Qu'est-ce que Tom, Paola et Lucas font le week-end ?

b. Repérez le mot « on » dans les interviews : qu'est-ce qu'il remplace ?

c. Relisez les interviews et retrouvez les adjectifs possessifs du texte : **nos, leur, leurs, notre**.

À quelles personnes (je/tu/il/elle/nous/vous/ils/elles) correspondent ces adjectifs possessifs ?

PRATIQUER

4. Différences.

Tom et Paola parlent de leurs activités le week-end. Remplacez ON par NOUS.

→ *On aime bien faire la fête à Paris.* ➜ *Nous aimons bien faire la fête à Paris.*

a. On préfère les soirées à São Paulo !

b. On préfère l'avion.

c. On regarde un film à la maison.

d. On va au restaurant en famille.

e. On aime bien marcher et courir !

En France : environ 1200 musées et 41 millions de visiteurs par an.   En F

Échanger

5. Chez vous, chez nous, chez eux !

Complétez les phrases avec un adjectif possessif : votre, vos, notre, nos, leur ou leurs.

→ *Les Brésiliens aiment aller au restaurant avec ... famille ?*

a. Les jeunes Mexicains aiment sortir avec ... amis ?

b. Est-ce que vous aimez vivre avec ... parents ?

c. Quelles activités vous préférez faire avec ... amis ?

d. Pourquoi ? Parce que ... cuisine est délicieuse !

e. En Angleterre, nous aimons ... traditions.

À VOUS !

6. Votre regard sur...

Vous vivez dans une ville à l'étranger. Vous écrivez un témoignage pour le magazine *Vu par* : vous dites pourquoi vous aimez/n'aimez pas la ville et ses habitants ; vous parlez de vos activités et de vos loisirs.

B Les Parisiens : un portrait

1 2 3 4 5

MINUTES SON 🎧29

La nasale [ɔ̃]
Repérez le son [ɔ̃]
dans les mots suivants :
syllabe 1, 2 ou 3 ?

	1	2	3		1	2	3
Concert	✓			Violon			
Maison				Blond			
Avion				Garçon			
Pantalon				On aime			

DÉCRIRE SES HABITUDES

Grammaire

> **Le pronom personnel sujet ON**

- ON = NOUS
Ma femme et moi, on aime bien courir !
= Ma femme et moi, nous aimons bien courir !

- ON se conjugue comme à la 3ᵉ personne du singulier (IL/ELLE)
On aime dessiner.
Il/elle aime dessiner.

> **Les adjectifs possessifs**
· **Nous** → notre, notre, nos
Notre train, notre ville, nos habitudes.
· **Vous** → votre, votre, vos
Votre train, votre ville, vos habitudes.
· **Ils / Elles** → leur, leur, leurs
Leur train, leur ville, leurs habitudes.

> **Le verbe VIVRE au présent :**

Je **vis**	Nous **vivons**
Tu **vis**	Vous **vivez**
Il/Elle/On **vit**	Ils/Elles **vivent**

Communication

> **Demander / Donner une explication**

· **Demander une explication :**
Pourquoi ... ?
Pourquoi vous aimez Paris ?

· **Donner une explication :**
Parce que / parce qu'... .
Parce que j'aime les Parisiens,
parce qu'on est différents.

> **Parler d'une habitude**
· En général ...
· Le ... = tous les ...
Le week-end = tous les week-ends.
Le dimanche = tous les dimanches.
Le matin / l'après-midi / le soir
= tous les matins / tous les après-midi
/ tous les soirs.

→ *Voir Cahier d'entraînement* **U 3**

41

: environ 1200 musées et 41 millions de visiteurs par an. En France : environ

Action !

Tâche finale

Votre ville organise une exposition de photographies sur les tribus urbaines. Pour participer à cette exposition, vous créez votre « tribu ».

a. Vous cherchez des personnes:
> vous préparez un questionnaire sur les centres d'intérêts, les préférences (couleurs, vêtements, etc.) et les loisirs;
> vous questionnez plusieurs personnes et choisissez quatre personnes.

b. Vous faites une photo de votre groupe et vous lui donnez un nom. *Mettez ensuite votre photo ou votre vidéo en ligne !*

c. En groupe, vous écrivez (ou vous enregistrez) un petit texte sur votre « tribu » :
> vous vous présentez;
> vous parler des goûts et des loisirs des habitants de votre ville (qu'est-ce qu'ils font en général ?);
> vous expliquez ce que vous aimez faire dans votre ville, ce que font les habitants en général (utilisez NOUS et ON).

REGARDS sur les habitants de ma ville...

Qui sont-ils ?
Qu'est-ce qu'ils aiment ?
Qu'est-ce qu'ils font ?

TACTIQUES

- Vous connaissez bien une ville ou un style de personnes et vous choisissez d'en parler.
- Au contraire, vous ne connaissez pas bien une ville ou un style de personnes et vous vous documentez ensemble avant d'écrire votre texte.

Quand vous écrivez, n'oubliez pas les différentes constructions pour dire vos centres d'intérêts et vos loisirs :
- les verbes adorer/aimer/préférer (etc.) + nom ou + infinitif
- le verbe faire + de
- le verbe aller + à

Préparation au DELF

COMPRÉHENSION DE L'ORAL

1 Écoutez la description de ces personnalités et écrivez leur nom.

1   2   3   4

COMPRÉHENSION DES ÉCRITS

2 Lisez le document et répondez aux questions.

a. Ce document est :
  - un article de journal
  - une publicité
  - une offre d'emploi

b. L'Atelier nº 6 propose :
  - des activités sportives
  - des activités artistiques
  - des activités de plein air

c. Qui peut s'inscrire à l'Atelier nº 6 ?
  - seulement les adultes
  - seulement les enfants/adolescents
  - tout le monde

L'Atelier n° 6
6 rue de la République,
35000 Rennes
atelier6@gmail.fr

2010-2011

L'Atelier n° 6 vous propose des cours pour enfants et adultes, des expositions de peinture et de photos et diverses activités à découvrir toute l'année.

- **Atelier adultes** *(pour les plus de 17 ans)* :
  Théâtre : pour adultes débutants ou confirmés.
  Photo
  Écriture
- **Atelier enfants et adolescents :**
  Théâtre

INSCRIPTIONS : Toute l'année...
Toute inscription à un atelier s'accompagne d'une adhésion à l'association de 10 à 20 euros.

PRODUCTION ÉCRITE

3 Vous voulez améliorer votre français : vous cherchez des personnes francophones pour faire des activités avec vous. Imaginez que vous vous inscrivez sur le site *Amis francophones*. À partir du document, présentez-vous : décrivez-vous, dites ce que vous aimez et ce que vous n'aimez pas.

☞ **Votre inscription sur Amis francophones**

Mon adresse mail :

Je choisis mon mot de passe : (votre mot de passe doit contenir au moins 6 caractères - lettres ou chiffres)

Mon prénom :   Mon nom :

Je suis : ○ une femme ○ un homme   Ma date de naissance :

Ma profession :

Le pays où j'habite :   Ma langue maternelle :

Je voyage plutôt pour :   ○ Affaires   ○ Tourisme   ○ Études   ○ Autres

Dans quel(s) domaine(s) recherchez-vous des contacts ? Inscrivez-vous dans l'une ou plusieurs des catégories suivantes :
○ Tourisme et voyages   ○ Échanges culturels et linguistiques   ○ Études et stages à l'étranger
○ Affaires   ○ Expatriation   ○ Recherche d'emploi

Mon texte de présentation (10 lignes maximum) :

VOUS JOUEZ D'UN INSTRUMENT DE MUSIQUE ?

> Répondez à la question posée sur l'affiche.

> Qu'est-ce que vous écoutez comme musique ? Quel est votre chanteur, votre chanteuse ou votre groupe préféré ?

CARNET PRATIQUE

> Photographies
Jeunes parisiens / Paris Youngbloods, Hugues Lawson-Body
Collectif Exactitudes, Ari Versluis and profiler Ellie Uyttenbroek
> Musique
Clip *Nadine* du groupe Padam (sur Internet).
> Lecture
Dessine-moi un Parisien, Olivier Magny, collection 10/18 .

À table !

Objectifs

Parler de l'alimentation
Passer une commande
Décrire ses habitudes alimentaires

Marché Alimentation ÉPICERIE
MENU PLAT Gastronomie
REPAS Pain COMMERCES
courses

Faire les courses...

Les bonnes adresses de Marie !

MON MARCHÉ
Les Halles de Lyon
102, cours Lafayette, 69003 Lyon.
Ouvert tous les matins sauf le dimanche.

● Mon primeur bio
Chez Marie

● Mon fromager
La Fromagerie des Alpes

MA BOULANGERIE
Au pain frais
18, rue Perrier, 69002 Lyon.
Fermé le dimanche après-midi.

MA BOUCHERIE
Boucherie-charcuterie La Plume d'or
46, rue Richard, 69003 Lyon.
Fermé le lundi et le dimanche.

MON ÉPICERIE
L'Épicerie équitable
16, rue Gryphe, 69002 Lyon.
Fermé le lundi et le dimanche.

MON CAFÉ
Café Crème
1, rue Laurencin, 69002 Lyon.
Ouvert tous les jours.

5 février 2012 - **À vous Lyon**

A

REPÉRER

1. **Observez le document A.**

a. Qu'est-ce que c'est ?

b. Qu'est-ce qu'il présente ?

2. **Écoutez les dialogues.** Regardez aussi la vidéo !

Qu'est-ce que fait Marie ?

COMPRENDRE

3. **Lisez le document A et répondez aux questions.**

a. Associez une photo à une « bonne adresse ».

b. Où est-ce que Marie aime acheter le pain, les fruits et légumes, la viande et la charcuterie,
les produits laitiers, les produits d'épicerie ?

c. Marie peut acheter ces produits à quels moments ?

4. **Écoutez à nouveau les dialogues.**

a. Où est Marie ? Associez un dialogue à une « bonne adresse » (document A).

b. Quels produits Marie achète ? Précisez la quantité pour chaque achat.

c. Qui parle : la cliente ou le vendeur ?

- *Combien ça coûte 1 kilo de pommes ?*   - *C'est 1 euro 60 !*   - *Combien je vous dois ?*

- *Ça fait 5 euros 25, Madame.*   - *Je vous dois combien ?*   - *3 euros, s'il vous plaît.*

d. On trouve quelle information dans chaque énoncé : la quantité ou le prix ?

Raconter des salades...   Raconter des salades...   Raconter des salades...

Découvrir

PRATIQUER

5. **Qu'est-ce qu'on met sur la table ?**

Associez les aliments et les contenants.

→ *Une tasse / thé* ➔ *Une tasse de thé.*

- lait   - eau
- thé   - huile d'olive

6. **Combien de… ?**

Complétez la liste
de courses avec
les expressions de
quantité :
un kilo – une bouteille –
un litre – un paquet –
une boîte.
Plusieurs réponses
sont possibles.

À acheter :
- *1 kilo de tomates*
- *2 …… pommes de terre*
- *1 …… œufs*
- *3 …… lait*
- *2 …… jus de fruits*
    (orange ou pomme)
- *2 …… riz*
- *3 …… café*

À VOUS !

7. **Faites vos courses !**

À 2, jouez la scène :
vous faites des courses dans votre quartier. Vous allez
à la boulangerie puis vous allez au marché pour acheter des
fruits et des légumes. Vous vous informez sur les prix, vous
précisez les quantités et vous payez.

MINUTES SON 🎧 33

Les sons [õ] / [ã].

a. Écoutez et dites si les mots sont identiques (=) ou différents (≠).

→   =   ≠

     1. *long / lent*   ✔

b. Comment on écrit le son [ã] ?

PARLER DE L'ALIMENTATION

Vocabulaire

> **L'alimentation**

Les commerces	Les produits
Une boulangerie	Le pain, une baguette de pain, un croissant
Une boucherie Une charcuterie	La viande La charcuterie
Une crémerie Un fromager	Les produits laitiers : le lait, le fromage, les yaourts.
Une épicerie	· Le riz, les pâtes, le sel, le poivre, le sucre, l'huile, la farine, les œufs. · Les jus de fruits. · Les boîtes de conserves.
Un primeur	Les fruits : une pomme, une banane, une orange. Les légumes : une tomate, une pomme de terre, une salade verte.
Une poissonnerie	Le poisson

> **Les achats, les courses**
- Les verbes :
  ACHETER   *J'achète du pain à la boulangerie.*
  FAIRE   *Je fais des courses au marché.*
- Un vendeur / une vendeuse
- Un client / une cliente

Communication

> **Indiquer une quantité déterminée**
· Avec un nombre : *un café - une baguette - deux croissants*
· Avec une unité de mesure :
Un kilo : *un kilo de tomates*
Un gramme : *500 grammes de sucre*
Un litre : *un litre de lait*
· Avec un contenant :
Un verre de …   *Un verre de jus de fruit*
Une bouteille de …   *Une bouteille de lait*
Une boîte de …   *Une boîte de maïs*
Un paquet de …   *Un paquet de café*
Une tasse de …   *Une tasse de thé*
Une assiette de …   *Une assiette de légumes*
⚠ Devant une voyelle, de ➔ d' : *un verre d'eau*

> **Demander / donner le prix :**
- Combien ça coûte ?   - C'est / Ça coûte …
- Combien je vous dois ? ➔ - Ça fait …

➡ *Voir Cahier d'entraînement U 4*

Au restaurant

Le Café A

- **Catégorie :** café - brasserie
- **Cuisine :** française
- **Prix :** carte de 16 à 35 € - menu à 23 € (le soir)
- **Horaires :** ouvert tous les jours de 12 heures à 23 heures

1 rue Laurencin 69002 Lyon – 04 78 96 99 64 – www.cafea.fr

A comme Aimez : entre amis ou en amoureux, buvez un verre, déjeunez ou dînez au Café A !
A comme Agréable : appréciez l'ambiance et la décoration.
A comme Absolument délicieuse : goûtez la cuisine d'Adrien !
A comme Aaaah !

Alors n'oubliez pas, venez au Café A !

Alice et Adrien

EXEMPLE DE MENU
Menu à 23 €

Entrée
Salade du marché
ou Assiette de charcuterie
ou Soupe de légumes

Plat
Poulet - frites à l'ancienne
ou Steak tartare
et pommes de terre sautées
ou Poisson du jour et riz

Dessert ou fromage
Tarte au citron d'Adrien
ou Glace (fraise, vanille, chocolat)
ou Assiette de fromage

5 février 2012 - **À vous Lyon**

REPÉRER

1. Observez le document A.
a. Qu'est-ce qu'il présente ?
b. À qui il s'adresse ?
c. Qui sont Alice et Adrien ?

COMPRENDRE

2. Lisez le document A.
a. Quand est-ce qu'on peut manger au *Café A* ? Justifiez.
b. Dans *Café A*, on trouve A comme Alice. Relevez dans le texte les mots qui commencent par la lettre A. Est-ce qu'ils sont positifs pour le restaurant ?

3. Lisez encore une fois le document A.
Alice et Adrien conseillent le *Café A* : « N'**oubliez** pas, **venez** au Café A ! »
Observez les verbes (en gras) : qu'est-ce que vous remarquez ? Quel est l'infinitif de ces verbes ?

4. Relisez le document A.
Retrouvez dans le texte les verbes correspondant aux infinitifs suivants. Puis, conjuguez à la 2e personne du pluriel.
→ *Boire : buvez, vous buvez.*

apprécier   goûter   dîner   déjeuner   aimer

Avoir une faim de loup !   Avoir une faim de loup !   Avoir une faim de loup !

Exprimer

5. Écoutez le dialogue

a. Où se passe la scène ?

b. Observez le menu du Café A (document A). Est-ce que le couple commande la même chose en entrée, en plat, en dessert ? Et comme boisson ? Écoutez à nouveau et justifiez vos réponses avec des mots du dialogue.

c. Qu'est-ce que la serveuse conseille à la cliente comme dessert ?

d. Qu'est-ce que le client demande à la fin du repas ?

PRATIQUER

6. Conseils

Aidez-vous de la lettre donnée au début des phrases pour choisir le bon verbe et conjuguez-le à l'impératif, à la 2ᵉ personne du pluriel !

venir - boire - déjeuner - manger - dîner - goûter

→ **D** : **D**ormez à l'hôtel du Domaine.

B... un verre au *Bistrot Baroque*.

G... les galettes de Gaël.

Le soir, **D**... au restaurant *Chez Doumé*.

M... au restaurant *Magique*.

V... au café *Le Vieux Saumur* !

À midi, **D**... à la brasserie *Dujardin*.

7. Au restaurant

Remettez le dialogue dans l'ordre.

– Un plat du jour, moi aussi.

– En entrée, je vais prendre une salade de crudités.

– Excusez-moi, Monsieur, on peut commander ?

– Moi, je vais prendre un plat du jour.

– Bien sûr, j'arrive tout de suite ! ... Alors, je vous écoute.

– Et comme plat ?

– Très bien, c'est noté !

– Et moi, une quiche lorraine.

À VOUS !

8. Passez votre commande !

Vous êtes au *Café A* avec un(e) ami(e). Vous commandez votre repas au serveur : vous choisissez 3 plats dans le menu et vous commandez une boisson.

MINUTES SON

La nasale $[\tilde{\varepsilon}]$

Dans quelle syllabe vous entendez le son $[\tilde{\varepsilon}]$: dans la syllabe 1, 2 ou 3 ?

PASSER UNE COMMANDE

Grammaire

> **L'impératif**

· On utilise l'impératif pour donner un ordre.

· On peut aussi utiliser l'impératif pour conseiller quelque chose à quelqu'un.

· À l'impératif :

- le verbe n'a pas de pronom sujet,

- le verbe se conjugue comme au présent de l'indicatif.

Boire : *bois*, *buvez*

Venir : *viens*, *venez*

⚠ À la 2ᵉ personne du singulier (tu) : pas de –s pour les verbes en –ER

Manger : *mang**e**, mang**ez***

- On ajoute *ne* ... *pas* à la forme négative : *N'oubliez pas !*

Communication

> **Prendre/passer une commande**

· Serveur :

– *Vous avez choisi ?*

– *Qu'est-ce que vous prenez en **entrée** / comme **plat** / en **dessert** ?*

– *Vous souhaitez un apéritif ?*

· Client :

- *Je voudrais ...*, *s'il vous plaît.*

Je voudrais un menu à 23 euros, s'il vous plaît.

⚠ On ne dit pas « je veux » mais « je voudrais », c'est ici une marque de politesse.

- *Je vais prendre ...*, *s'il vous plaît.*

Je vais prendre une salade, s'il vous plaît.

> **Pour payer**

– *Excusez-moi, vous pouvez me donner l'addition s'il vous plaît ?*

– *L'addition, s'il vous plaît !*

> **Réagir à une affirmation**

· De façon positive ☺ : *moi aussi*

– *Je vais prendre une tarte au citron.*

– *Moi aussi, s'il vous plaît !*

· De façon négative ☹ : *moi non plus*

– *Vous souhaitez un apéritif ?*

– *Non.*

– *Moi non plus.*

⚠ On utilise *Moi non plus* pour réagir à une affirmation négative.

– *Je ne mange pas souvent au restaurant.*

– *Moi non plus (je ne mange pas souvent au restaurant).*

Voir Cahier d'entraînement **U 4**

La culture est dans l'assiette

30 FAMILLES, 24 PAYS ET 600 REPAS...

Qu'est-ce qu'on mange dans le monde ?

En France, en Chine, au Mexique, en Australie, en Inde, aux États-Unis, en Allemagne, au Canada...
Le photographe **Peter Menzel** montre les habitudes alimentaires de 30 familles dans 24 pays différents.

La consommation alimentaire hebdomadaire de la famille Lemoine (Montreuil, France).
Budget hebdomadaire : environ 307 euros.
Nombre de repas par jour : 3 repas (petit-déjeuner, déjeuner, dîner).
Consommation principale : du pain, des pâtes, des fruits et légumes frais, des jus de fruits, de l'eau, des yaourts.

La consommation alimentaire hebdomadaire de la famille Dong (Beijing, Chine).
Budget hebdomadaire : 1 233,76 Yuan (environ 141 euros).
Nombre de repas par jour : 3 repas (petit-déjeuner, déjeuner, dîner).
Consommation principale : de la viande (du porc, du bœuf, du canard), des fruits et légumes frais, des œufs, de l'eau et des sodas, du riz.

Hungry Planet, What the world eats, Peter Menzel, Faith D'Aluisio

A

REPÉRER

1. Observez le document A !
a. Quel est le sujet du document ? Qui est l'auteur des photos ?
b. Sur ces photos, quels produits vous connaissez ?
c. Quels aliments vous trouvez aussi dans votre pays ?

2. Document B : observez le tableau.
Qu'est-ce qu'il montre ?

Différentes habitudes alimentaires (en %)

Type de plat	Espagne	Pologne
Viande, œufs et produits à base d'œufs	50	61
Légumes y compris pommes de terre et légumes secs	21	32
Poisson	27	5
Riz, pâtes et produits à base de pâtes	2	2
Total	100	100

D'après Insee, Eurostat.

- En Espagne et en Pologne, on mange beaucoup de viande et d'œufs ; on consomme très peu de riz et de pâtes.
- On mange très peu de poisson en Pologne.

B

Les Français aiment beaucoup les émissions télévisées sur la cuisine et la

Échanger

COMPRENDRE

3. Lisez le document A.

a. Est-ce que nous mangeons tous la même chose ?

b. Décrivez chaque famille et son alimentation.

c. Quels sont les différences et les points communs dans l'alimentation de ces deux familles ? Justifiez votre réponse.

4. Étudiez le document B.

a. D'après le tableau, quelles sont les différences dans les repas en Espagne et en Pologne ?

b. Lisez la légende. Qu'est-ce qu'on mange dans ces pays européens ? Relevez les mots qui donnent des précisions sur la quantité.

PRATIQUER

5. Un repas chez moi !

Complétez avec *du, de la, de l', des*.

> Chez moi, nous mangeons *des crudités* en entrée, puis un plat ... viande ou ... poisson avec ... légumes. À la fin du repas, nous mangeons souvent ... fromage ou un yaourt, et ... fruits. Nous buvons toujours ... eau à table.

6. Qu'est-ce qu'ils mangent ?

Complétez avec *beaucoup de, peu de, ne... pas de*.

> a. Mila est végétarienne : elle mange *beaucoup de* légumes et ... céréales, et elle ... mange ... ... viande.
> b. Martin aime cuisiner : il mange ... plats « faits maison » et ... plats surgelés.
> c. Swann n'aime pas les fast-foods : il ... mange ... ... pizzas et ... ... hamburgers.

À VOUS !

7. Habitudes alimentaires

a. Et vous, qu'est-ce que vous mangez en un repas ?

b. Écrivez un court texte pour décrire les habitudes alimentaires dans votre pays.

Grammaire

> **L'article partitif *du, de la, de l'*** pour indiquer une quantité indéterminée
- du + nom masculin singulier : *boire du lait*
- de la + nom féminin singulier : *manger de la salade*
- de l' + nom singulier commençant par une voyelle : *boire de l'eau*

> ***Pas de, peu de, beaucoup de*** pour préciser une quantité :
- Quantité nulle : **pas de**
  + nom singulier *Ils ne boivent pas de vin.*
  + nom pluriel *Je ne mange pas de fruits.*
- Quantité faible : **peu de**
  + nom singulier *Ils mangent peu de viande.*
  + nom pluriel *On mange peu de fruits.*
- Quantité importante : **beaucoup de**
  + nom singulier *Ils mangent beaucoup de riz.*
  + nom pluriel *Ils mangent beaucoup de fruits.*

⚠ Quand on ne peut pas compter, le nom est au singulier.

⚠ Devant une voyelle, de → d' : *beaucoup d'eau*

Vocabulaire

> **La gastronomie**
La nourriture
La cuisine
Le goût

> **Les repas**
Le petit-déjeuner, le déjeuner, le dîner
Le brunch, le goûter, l'apéritif

> **Les verbes de l'alimentation**
Déjeuner
Dîner
Goûter
Prendre
Cuisiner
Manger
Boire
⚠ Manger / boire + quantité
(un, une, des, du, de la, de l', etc.)

MINUTES SON

Les nasales $[\tilde{o}]$ **/** $[\tilde{a}]$ **/** $[\tilde{\varepsilon}]$

a. Écoutez et répétez.

b. Écoutez les séries de mots et dites quelle nasale vous n'entendez pas : $[\tilde{o}]$, $[\tilde{a}]$ **ou** $[\tilde{\varepsilon}]$?

→ *Voir Cahier d'entraînement U 4*

Action !

Tâche finale

Vous organisez une soirée dégustation pour découvrir des spécialités internationales.

a. Vous constituez des groupes de 3 personnes en fonction de la région ou du pays choisi.

b. Vous choisissez des spécialités gastronomiques pour élaborer un menu (entrée, plat, dessert).

c. Vous achetez vos produits : vous allez au marché ou vous achetez en ligne (sur Internet).

Attention : vous avez un budget de 10 € par personne !

LE GOÛT DES AUTRES

Soirée dégustation : spécialités internationales

VENEZ NOMBREUX !
Préparez votre spécialité préférée, salée ou sucrée !

TACTIQUES

....

Vous pouvez aussi utiliser l'impératif pour donner vos recettes de cuisine !

Exemple : la recette de l'omelette
Pour 4 personnes :
Dans un saladier, cassez 8 œufs et mélangez.
Ajoutez un verre de lait, du sel et du poivre.
Dans une grande poêle, mettez un peu d'huile.
Quand l'huile est chaude, versez la préparation dans la poêle.
Laissez cuire 5 minutes environ.
C'est prêt !

Préparation au DELF

COMPRÉHENSION DE L'ORAL

1 **Écoutez ce dialogue. Répondez aux questions.**

1. Où se passe la scène ?

☐ à la boulangerie ☐ au marché ☐ à la boucherie

2. Qu'est-ce que la personne achète ? Indiquez les quantités.

☐ a
....

☐ b
....

☐ c
....

☐ d
....

☐ e
....

☐ f
....

3. Combien la personne doit payer ?

☐ 7,25 € ☐ 5,27 € ☐ 5,25 €

PRODUCTION ORALE

2 **Vous dînez au restaurant *Le Café Curieux*.**
Voici la carte.

Vous passez la commande au serveur :
complétez le dialogue et jouez la scène à deux.

- Bonjour, vous avez choisi ?
- Oui, ...
- Vous prenez un menu ?
- Non, ...
- Bien, je vous écoute...
- En entrée, ...
- D'accord, et ensuite ?
- ....
- Très bien ! Vous désirez un dessert ?
- Non merci, ...
- Prenez un café gourmand alors,
c'est nouveau !
- Ah oui !
- Vous souhaitez boire quelque chose ?
- ....
- Très bien, c'est noté ! Merci.

Le Café Curieux
Restaurant

À la carte
Les entrées
Quiche lorraine.......5,50 €
Salade tomate-mozzarella.......4,50 €
Soupe de légumes.......4 €

Les salades repas
Salade de chèvre chaud.......7,60 €
Salade niçoise.......6,80 €
Salade italienne (jambon, tomate, salade verte).......8,90 €
Croque-monsieur salade.......6,50 €

Les plats principaux
Gratin Dauphinois, salade verte.......9,80 €
Confit de canard, frites maison.......13,20 €
Steak-frites.......10 €
Pâtes 4 fromages.......10,60 €

Les desserts
Crème brulée.......4 €
Tarte tatin.......5,20 €
Mousse au chocolat.......4,40 €
Café gourmand !! Nouveau.......3 €

1. CÉLÉBREZ LA GASTRONOMIE !

Professionnels et amateurs, venez tous dans la rue avec vos plats, vos casseroles, vos couverts, vos produits et vos menus !

Le 23 septembre 2011, c'est la première Fête de la gastronomie en France !

Elle célèbre la cuisine, les produits, les lieux et les arts de la table !

2 000 événements sont organisés dans toute la France :
- des repas dans des grands restaurants ou des bistrots, des brasseries ou des cafés ;
- des apéritifs, des *brunchs*, des goûters ;
- des pique-nique ;
- des rencontres avec des grands chefs ;
- des dégustations…

> Quelle est la différence entre la cuisine et la gastronomie ?

> Est-ce qu'il existe une fête de la gastronomie dans votre pays ?

2. SLOW FOOD

 Le « Slow Food » est un art de vivre. Contrairement au « fast food » et à la « malbouffe », il respecte l'environnement et les producteurs. Manger est considéré comme un plaisir et est une source de bien-être : on ne mange pas seulement pour se nourrir.

> Qu'est-ce que c'est le « Slow Food » ? Est-ce que ce mouvement existe dans votre pays ?

3. LE REPAS GASTRONOMIQUE

Depuis décembre 2010, le repas gastronomique à la française est inscrit au patrimoine de l'Unesco.

Le repas gastronomique c'est :
- un apéritif,
- 4 plats (minimum) avec une entrée, du poisson et/ou de la viande, du fromage et un dessert ;
- un digestif.

C'est aussi l'achat de bons produits, le choix des plats et des vins, la présentation de la table et même les conversations !

Source diplomatie.gouv.fr -

> Vous aimez la gastronomie française ? Est-ce qu'elle est connue dans votre pays ?

CARNET PRATIQUE

> **Des guides pour trouver un bon restaurant :**
le Gault et Millau, le Guide Michelin, le Fooding.

> **Des restaurants « 3 étoiles » et des grands chefs :**
le Plaza Athénée à Paris (chef : Alain Ducasse) ; restaurant Pic à Valence (chef : Anne-Sophie Pic) ; Chez Bras à Laguiole (chefs : Michel et Sébastien Bras).

> **Santé :** campagne nationale "manger bouger" www.mangerbouger.fr.

> **Livre** de Peter Menzel (photographe) et Faith D'Aluisio (écrivain) : *What I Eat : Around the World in 80 Diets* (2010).

On s'installe !

Objectifs

S'informer sur un logement
Raconter un événement passé
Exprimer l'obligation, l'interdiction et le but

appartement

cuisine **maison** ÉTAGE

rez-de-chaussée logement **colocation**

CHAMBRE

DÉMÉNAGEMENT

Chacun son toit !

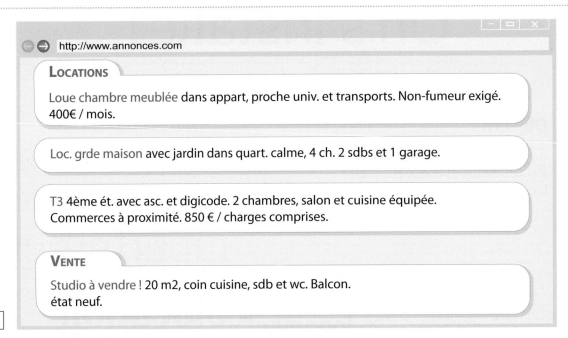

http://www.annonces.com

LOCATIONS

Loue chambre meublée dans appart, proche univ. et transports. Non-fumeur exigé. 400€ / mois.

Loc. grde maison avec jardin dans quart. calme, 4 ch. 2 sdbs et 1 garage.

T3 4ème ét. avec asc. et digicode. 2 chambres, salon et cuisine équipée. Commerces à proximité. 850 € / charges comprises.

VENTE

Studio à vendre ! 20 m2, coin cuisine, sdb et wc. Balcon. état neuf.

A

REPÉRER

1. Observez les documents A et B.
a. Doc. A : observez bien ! Qu'est-ce que c'est ? Où est-ce qu'on peut trouver ces documents ?
b. Doc. B : regardez les photos. Qui sont-ils ? Imaginez leurs âges, leurs situations familiales et leurs professions.

2. Écoutez le dialogue. Regardez aussi la vidéo !
a. Qui parle ? De quoi parlent-ils ?
b. Quelle annonce correspond à la description du logement ?

COMPRENDRE

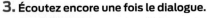

3. Écoutez encore une fois le dialogue.
a. Dans le dialogue, retrouvez les mots qui correspondent aux abréviations :

Quart.	Ch.	Imm.
loc.	Sdb.	Grd.

b. L'employée de l'agence donne 2 informations en plus : quelles sont ces 2 informations ?

4. Réécoutez : que dit le client pour obtenir des informations sur le logement ?

PRATIQUER

5. Les types de logements
Faites des phrases avec les mots *chambre, meublé, maison, location, studio, appartement*.
⚠ Il y a un mot qui ne convient pas !
- Dans un immeuble, il y a plusieurs ... .
- J'habite dans un ... ; il y a une pièce et une salle de bains.
- Je n'ai pas déménagé mes meubles : je cherche un ... .
- Nous louons une grande ... avec un jardin et 6 pièces. Chaque enfant a sa ... .

1

2

3

S'INFORMER SUR UN LOGEMENT

Vocabulaire

> **Le logement**
- Un meublé
- Un studio, un deux pièces, un trois pièces...
- Un appartement, une maison, un immeuble
- Neuf/neuve ≠ ancien/ancienne
- Grand/grande
- Calme/calme ≠ bruyant/bruyante

> **Les pièces de la maison**
- Un salon, une cuisine, une salle de bains, une chambre, une entrée
- Un balcon, une terrasse, un jardin, une cave, un garage

> **La location**
- Louer, le loyer
- Le locataire, le propriétaire

> **Les étages**
- Le rez-de-chaussée
- Le premier étage, le deuxième étage
- Le troisième étage, le quatrième étage...
- Le dernier étage

Communication

> **Demander des informations sur le logement**
Est-ce qu'il y a une terrasse ?
Il y a combien de mètres carrés (m^2), de pièces, de chambres ?

> **Demander le prix du loyer**
Quel est le loyer ?
Combien ça fait avec les charges ?

> **Donner des informations sur le logement**
L'appartement fait 85 m^2.
Le loyer est de 650 €, charges comprises, avec l'eau et l'électricité.
Dans l'immeuble, il y a 5 étages et 30 appartements.
La maison est grande, calme et lumineuse.
L'appartement est petit, bruyant et sombre.

> **Situer un logement**
L'appartement est proche des commerces.
La maison se trouve dans un quartier calme, près de la mairie.

6. Photos et petites annonces

a. Observez les photos du document B puis relisez les annonces du document A : associez une annonce à un locataire et justifiez votre choix.

b. Une annonce ne convient pas. Laquelle ? Pourquoi ?

À VOUS !

7. On peut visiter ?

Deux par deux, choisissez une photo et une annonce. Jouez le dialogue entre le locataire et l'agent immobilier.

MINUTES SON 🎧40

Les sons [u] **et** [y]
Trouvez dans la leçon des mots avec les sons [u] et [y].
Répétez les mots que vous entendez.

⇒ *Voir Cahier d'entraînement* **U 5**

Attention, fragile !

http://www.parolesdexpatries.com

NOTRE NOUVELLE VIE EN FRANCE : PAROLES D'EXPATRIÉS !

2 février 2012 *Récit du déménagement*

La semaine dernière, nous avons fait les cartons, nous avons mis nos vêtements dans les valises. Les enfants ont dit « au revoir » à leurs copains. Nous avons vidé le réfrigérateur avec les voisins !

Hier, les déménageurs sont venus : ils ont rangé la vaisselle, ils ont débranché la télévision et l'ordinateur et ils ont pris les meubles. Après, le camion a tout emporté !

A

REPÉRER

1. Observez le document A.

a. Où est-ce qu'on trouve ce type de document ? Qu'est-ce qu'il décrit ?

b. Où est-ce que la famille habite maintenant ?

 2. Écoutez le dialogue et répondez aux questions.

a. Qui parle ?

b. Qu'est-ce qu'ils font ?

 B

COMPRENDRE

3. Relisez le document A et répondez aux questions.

a. Quand est-ce que la famille Gomez a déménagé ? Est-ce qu'on parle d'un moment passé ou présent ? Justifiez.

b. Relevez dans le texte les actions des Gomez et les actions des déménageurs. Retrouvez l'infinitif des verbes.

c. Ensuite, observez bien la structure des verbes : quel verbe est utilisé avec « sont » ?

 4 Écoutez à nouveau le dialogue et répondez aux questions.

- Il y a combien de chambres dans la maison ?

- Où est la cuisine ?

- Où est-ce que le déménageur a installé l'ordinateur ?

PRATIQUER

5. Racontez au passé !

Les Gomez sont maintenant dans leur nouvelle location. Ils racontent leur installation. Conjuguez les verbes au passé composé.

« Hier, nous ... (arriver) dans notre nouvelle maison. Nous ... (installer) les meubles et ... (ranger) les vêtements. Les enfants ... (prendre) des photos pour notre blog. L'après-midi, les voisins ... (venir) et on ... (faire) connaissance. Le soir, on ... (aller) au restaurant dans notre nouveau quartier ! ».

Ça déménage !   Ça déménage !   Ça déménage !   Ça déménage !   Ça déménag

Exprimer

6. Localisez un objet !

Regardez cette illustration et demandez aux autres étudiants de localiser les meubles et les objets.
→ *Où est le tableau ? Il est à côté de l'armoire...*

7. Qu'est-ce qu'il y a dans la maison ?

Gardez le meuble qui convient dans chaque pièce.
→ *Dans la salle de bains, il y a une petite armoire.*

a. Qu'est-ce qu'il y a dans la cuisine ?
Une table / un lit / un bureau
b. Qu'est-ce qu'il y a dans la chambre ?
Un lit / une douche/ un four
c. Qu'est-ce qu'il y a dans le salon ?
Un canapé / un réfrigérateur / une douche
d. Qu'est-ce qu'il y a dans le garage ?
Une voiture / un lit / un canapé

À VOUS !

8. Décorez votre appartement !

Imaginez que vous venez de déménager et de décorer votre appartement. Racontez !
→ *J'ai choisi un canapé gris. À côté du canapé, j'ai installé la bibliothèque...*

MINUTES SON 🎧⁴²

Les liaisons (2)
Écoutez et répétez.
→ *On est parti*

RACONTER UN ÉVÉNEMENT PASSÉ

Grammaire

> **La formation du passé composé**
• **Avoir au présent** + participe passé du verbe
Nous avons vidé le frigo.
• **Être au présent** + participe passé du verbe
s'emploie pour *aller, venir, arriver, partir, entrer, sortir, monter, descendre, tomber, passer.*
Les déménageurs sont venus.

> **La formation du participe passé**
- verbes en **er = é**.   → *ranger → rangé...*
- verbes en **ir = i**   → *sortir → sorti*
⚠ Il y a d'autres formes :
- être : **été**   - prendre : **pris**
- avoir : **eu**   - mettre : **mis**
- faire : **fait**   - lire : **lu**
⚠ Avec être, le participe passé s'accorde avec le sujet.
Nous sommes allés à l'hôtel.

> **Interroger pour localiser :**
  questions avec où
Où est la cuisine ? Où est-ce que je mets la télé ?

> **Les prépositions de lieu + nom :**

Vocabulaire

> **Indiquer un moment passé**
Hier,
la semaine dernière,
le mois dernier,
l'an dernier

> **Le mobilier**
Une table, une chaise, un fauteuil, un canapé
Un lit, une armoire, une lampe, un bureau

➡ *Voir Cahier d'entraînement **U 5***

Ça déménage !   Ça déménage !   Ça déménage !   Ça déménage !   Ça déménage !

Cohabitation

REPÉRER

1. Observez le document A.

a. Où est-ce qu'on trouve ces documents ?

b. Lisez les messages (doc. A), relevez les conseils donnés et associez-les à des règles de cohabitation.

→ *Mettre la table : partage des tâches dans la maison.*

2. Écoutez le document.

a. Qui parle ?

b. Quel est le sujet du document ?

c. Quelle est la nationalité de Pedro ?
Où est-ce qu'il habite ?

COMPRENDRE

3. Écoutez encore une fois !

a. Beaucoup de jeunes étrangers vivent en colocation. Pourquoi ?

b. Citez 2 conseils de Pedro pour réussir sa colocation.

4. Relisez les petites annonces (document A).

a. Relisez la note n° 2 :
qu'est-ce que vous devez faire ?
« *Je dois sortir les poubelles, je dois … ».*

b. Relisez la note 4 : formez une autre phrase avec
« il faut nous excuser pour … ».

PRATIQUER

5. Obéissez !

Conjuguez les verbes à l'impératif.

« Les enfants, *arrêtez* (arrêter) de regarder la télévision et (venir) m'aider ! Arthur, (aller) dans la cuisine et (mettre) la table ; Anna, (ne pas crier) comme ça, (ranger) ton bureau et (faire) tes devoirs ! »

6. Les mauvaises habitudes de colocataires.

Lisez cette liste et ajoutez 4 mauvaises habitudes de colocataires.

1. La vaisselle est sale dans l'évier.

2. Mon colocataire adore faire la fête le dimanche soir.

3. Qui a bu mon jus d'orange ?

4. Quelqu'un a utilisé ma brosse à dents !

5. Qui a laissé la poubelle comme ça ?

A

> EMPLOI DU TEMPS
> POUR METTRE LA TABLE
>
> LUNDI :   Jules
> MARDI :   moi
> MERCREDI :   Maman
> JEUDI :   Papa …

1

> N'oublie pas !
>
> Sors les poubelles
> Fais la vaisselle
> Achète une baguette
>
> Merci !

2

> Diego, s'il te plaît,
> ne joue pas de
> guitare ce soir.
> Je dois travailler
> pour mon examen
> de français !

3

> Chers voisins,
>
> nous organisons une fête
> pour notre installation.
> Il faut nous excuser
> pour le bruit !

4

Échanger

7. De bonnes raisons pour vivre en colocation...
Donnez 5 bonnes raisons pour vivre en colocation.
→ *Je vis en colocation pour me faire des amis.*

8. Il faut, il ne faut pas...
Utilisez les différentes formes pour exprimer l'obligation ou l'interdiction.
→ *Il faut respecter les autres ; le colocataire ne doit pas faire de bruit la nuit.*

À VOUS !
9. Partage des tâches
a. Faites un sondage dans la classe : donnez la liste des tâches ménagères que vous acceptez de faire et de celles que vous refusez de faire. Ajoutez des exemples.
b. Comme en Italie, le partage des tâches cause des disputes dans votre couple ou votre colocation. Imaginez des raisons amusantes pour ne pas faire le ménage. Jouez la scène.

Qu'est-ce que vous faites à la maison ?

On a interrogé 2000 Européens de plus de 18 ans qui vivent en couple :
« *Qu'est-ce que vous faites à la maison ?* »
et « *Qu'est-ce que vous ne faites pas à la maison ?* ».

D'après les Européens : en Italie, le partage des tâches ménagères cause des disputes ; en France, les hommes font beaucoup d'efforts et aident leurs femmes ; au Royaume-Uni, le ménage est très bien fait.
En Europe :
73% des hommes refusent de repasser.
67 % ne veulent pas nettoyer les sanitaires.
61 % ne touchent pas à la machine à laver.

D'après un sondage Ipsos/Mapa-Spontex (février 2009).

MINUTES SON

L'intonation : impératif et négation
Écoutez et répétez. Faites attention à l'intonation !
Viens ! Ne viens pas !

EXPRIMER L'OBLIGATION, L'INTERDICTION, LE BUT

Communication

> Proposer de l'aide
Est-ce que je peux t'aider ?

> Demander de l'aide
Est-ce que tu peux m'aider ?

> Répondre en hésitant
Je voudrais bien, mais il y a mon film préféré à la télévision...
Peut-être, tout à l'heure...

> Refuser d'aider
Non, ce n'est pas mon tour. C'est à toi de ranger le linge !
Non, c'est ton tour !
Non, ce n'est pas possible...

> Exprimer sa colère
Alors là, non !
Assez, ça suffit !

Grammaire

> Exprimer l'obligation
- Le verbe à l'impératif
Fais la vaisselle !
- Il faut + nom / il faut + verbe à l'infinitif
Il faut partager les tâches ménagères.
- Devoir + infinitif
Je dois travailler pour mon examen.

> Exprimer l'interdiction
- La forme négative
Ne joue pas de guitare !
Il ne faut pas jouer de guitare.
Tu ne dois pas jouer de guitare !

> Exprimer le but
- Pour + le nom
Je dois travailler pour mon examen de français.
- Pour + le verbe à l'infinitif
Les conseils de Pedro pour réussir la colocation.

> Conjuguer le verbe devoir
- Je dois
- Tu dois
- Il/elle/on doit
- Nous devons
- Vous devez
- Ils/elles doivent

→ *Voir Cahier d'entraînement U 5*

Tâche finale

Organisez une colocation !
L'année dernière, vous avez partagé une colocation internationale mais vous avez eu un problème avec vos colocataires…

Charte du colocataire

Nom prénom	Nom prénom	Nom prénom	Nom prénom

L'ensemble des personnes qui habitent à l'adresse suivante .... doivent :

- ☐ payer le loyer chaque mois
- ☐ partager les dépenses alimentaires
- ☐ ne pas faire la fête plus de … jours par semaine
- ☐ ne pas faire de bruit la nuit ou ne pas jouer de musique de … à …. / entre …. et …..
- ☐ ....
- ☐ ....
- ☐ ....

Date de signature

Nom et signature	Nom et signature	Nom et signature	Nom et signature

Précédé de la mention *Lu et approuvé*

a. Décrivez chaque colocataire : quels sont ses centres d'intérêts ? Quel est son trait de caractère principal ? Pourquoi est-ce qu'il y a eu un problème ?
Ex. : *Mon colocataire aime inviter des amis ; il est sociable. Un soir, je n'ai pas dormi parce qu'il a invité 20 personnes. Ils ont fait la fête toute la nuit.*

b. Pour trouver de nouveaux colocataires, vous décidez d'organiser un entretien de colocation. Préparez une liste avec les questions importantes et interrogez les étudiants.

c. Une solution pour la vie en colocation : « le contrat du colocataire ».
Avec vos nouveaux colocataires, vous écrivez un contrat. Utilisez NOUS et ON.

TACTIQUES

Cette tâche va vous aider à bien connaître les personnes de votre groupe ! Vous pouvez donner des exemples amusants et personnels.
Pour écrire le « contrat du colocataire », utilisez les constructions :
- il faut + infinitif : *il faut faire…*
- devoir + infinitif : *tu dois faire…, vous devez faire…*
Vous pouvez aussi utiliser l'impératif : *fais…, faites…*

Préparation au DELF

COMPRÉHENSION DES ÉCRITS

1 **Comprendre des consignes : interdiction et obligation**

a. Ce document est une publicité, un article de journal, un mode d'emploi ?

b. Vrai ou faux ?

- Les Français doivent recycler les papiers et les journaux.

- Il ne faut pas jeter la bouteille de jus de fruit dans la poubelle jaune.

- On doit mettre les magazines dans la poubelle jaune.

- Le mardi est un jour de collecte du verre.

- On peut jeter une assiette dans la poubelle verte.

COMPRÉHENSION DE L'ORAL

2 **Identifiez des situations.**

Vous allez entendre 4 petits dialogues correspondant à des situations différentes.

Vous avez 15 secondes de pause après chaque dialogue.

Puis vous entendrez à nouveau les dialogues et vous pourrez compléter les réponses. Regardez d'abord les images.

Trouvez l'image qui correspond au dialogue.

Attention, il y a 4 dialogues et 5 images.

1

2   3

4   5

DÉCOUVRIR
UNE PERSONNALITÉ FRANÇAISE

Ora ïto est un jeune *designer* français. Né en 1977 à Marseille, il a commencé le design à 19 ans ! Il crée des objets, des meubles et même des flacons de parfum pour des grandes marques.

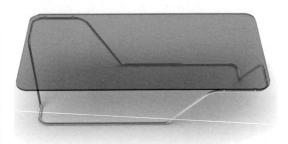

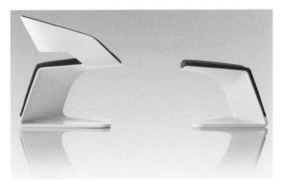

> Regardez ces 2 objets créés par Ora Ïto. Choisissez un objet pour la maison.

> Pourquoi est-ce que vous avez choisi cet objet ?

UNE NOUVELLE FORME
DE COLOCATION :
AVOIR UN COLOCATAIRE SENIOR

En 2009, il y a eu plus de 6 500 personnes âgées (seniors) inscrits sur le site **appartager.com**. Chaque année, le nombre des seniors qui cherchent un colocataire augmente. Pourquoi ?
- Les loyers sont très chers.
- Les seniors vivent seuls.
- Ils ont besoin d'aide pour faire les tâches ménagères.

Femme, 65 ans, retraitée, très sérieuse, cherche colocataire. Accepte chien ou chat.

> Est-ce que ce phénomène de colocation pour les seniors existe dans votre pays ?

> Dans votre pays, où est-ce que les personnes âgées vivent ?

> Dites quels autres types de colocation existent aujourd'hui.

CARNET PRATIQUE

> **Vous voulez organiser votre déménagement ?**
Voir le site Électricité et gaz de France.
> **Vous voulez trouver un colocataire ?**
Voir les annonces sur Internet. Pour la France, exemples de sites : Appartager.com ; Kel-koloc.com ; Colocation.fr ; EasyColoc.com.
Se renseigner sur les « jeudis de la colocation » et les autres soirées pour rencontrer des colocataires dans les grandes villes.
> **Vous voulez trouver des conseils pour le logement ?**
La CAF (Caisse d'Allocations Familiales) donne des conseils aux salariés et aux étudiants (voir site Caf.fr : Relations internationales).
> **Vous voulez voir une vidéo sur la colocation ?**
Voir site ducotedechezvous.com : les nouvelles formes de colocation.

Au fil du temps...

Objectifs

Découvrir les rythmes de l'année
Fixer un rendez-vous
Décrire une journée habituelle

Saison vacances MOMENT
CONGÉS TEMPS Habitude
HEURE QUOTIDIEN Année
rythme TEMPS LIBRE

Chacun son rythme !

C'est la rentrée !

Les grandes vacances sont finies, l'école commence : c'est le mois de septembre !

Chaque année, en France, l'automne annonce la rentrée. Au début du mois de septembre, les enfants préparent leurs cartables, les adultes rangent les vêtements d'été, les serviettes de plage, et pensent déjà aux vacances d'hiver, en février !

Chez nos voisins européens, c'est la même chose. Mais dans d'autres pays c'est bien différent : en Afrique du Sud par exemple, les vacances d'été durent un mois et demi, de décembre à février, et en Inde, c'est en avril et en mai !

Le Journal de l'international, le 28 août 2012

A

REPÉRER

1. Observez le document A.

a. Quelle est la nature du document ?

b. De quoi il parle ?

c. Décrivez les photos.

2. Écoutez l'interview. Regardez aussi la vidéo !

a. Qui parle ?

b. De quoi parlent les personnes ?

c. En France, quelle est la période des *grandes vacances* ? Et dans votre pays ?

COMPRENDRE

3. Écoutez à nouveau l'interview.

a. Quand se passe la rentrée en Australie ? Et pour les étudiants en France ?

b. Qui a beaucoup de temps libre et qui part régulièrement en vacances ?

c. Quand est-ce que ces personnes font ces activités ? Observez les expressions relevées : qu'est-ce qui montre que ces activités sont leurs activités habituelles ?

- Personne 1 : finir tôt, le yoga, la remise en forme.
- Personne 2 : les vacances, les week-ends avec l'entreprise.
- Personne 3 : le rafting, le ski.

d. Classez ces expressions de fréquence du moins au plus : rarement, souvent, jamais, régulièrement, quelquefois, parfois.

--	-	+	++	+++

Découvrir

PRATIQUER

4. Souvent, parfois, jamais ?

Est-ce que vous faites souvent ces activités ? Précisez votre réponse.

→ *manger au restaurant* ➜ *Je mange rarement au restaurant, peut-être deux fois par mois.*

- Aller au cinéma
- Voyager dans un pays étranger
- Acheter un livre
- Surfer sur Internet
- Regarder la télévision
- Lire le journal

5. Mois après mois

Pour chaque mois de l'année, dites ce que vous faites habituellement.

→ *Au mois de janvier, en France c'est l'hiver, je fais souvent du ski et je bois des chocolats chauds.*

Printemps   Été   Automne   Hiver

À VOUS !

6. Votre rythme !

Par deux, préparez 5 questions pour connaître les rythmes et les habitudes des personnes de votre cours de français. Interrogez ensuite des personnes du groupe et observez vos points communs.

MINUTES SON

La liaison (3)

Écoutez et repérez les liaisons

→ *Les enfants sont en vacances en août.*

a. Les vacances, c'est important.

b. Vous avez beaucoup de temps libre ?

c. Au Canada, on aime le ski.

d. Je pars en octobre.

e. Nous allons dans un grand hôtel.

f. Quand il pleut, ils restent chez eux.

DÉCOUVRIR LES RYTHMES DE L'ANNÉE

Vocabulaire

> **Les saisons**
- L'automne, l'hiver, le printemps, l'été

> **Les périodes de l'année**
- Les vacances : les vacances d'été (les « grandes vacances ») ; les vacances d'hiver
- La rentrée
- Un trimestre : 3 mois
- Un semestre : 6 mois

Communication

> **Parler d'une habitude**
D'habitude, généralement, en général
D'habitude, je pars en vacances en août.

> **Les expressions de la fréquence :**
- Le lundi = tous les lundis = chaque lundi
Le mardi, j'ai mon cours de piano.
- Tous les ... week-ends / jours / mois / ans.
Elle finit tous les jours à 16 h.
- Toutes les semaines
- Chaque ... week-end / jour / mois / année / semaine...
Chaque année, je pars à Montréal.
- Une fois par jour / mois / an / semaine.
Je fais du yoga une fois par semaine.

> **Les adverbes de fréquence**
+++	toujours
++	souvent, régulièrement
+	parfois
—	rarement
— —	ne... jamais

Les adverbes de fréquence se placent en général juste après le verbe :
*Mon entreprise organise **parfois** des week-ends.*
*Je n'achète **jamais** le journal.*

> **Demander la fréquence**
On utilise souvent dans la question.
Vous allez souvent à la montagne ?

> **Indiquer un moment dans l'année**
- Le mois : en/au mois de + mois
Je pars en vacances en juillet.
Au mois de septembre, c'est la rentrée.

- La saison : en/au + saison
En été	Au printemps
En automne	
En hiver	

➡ *Voir Cahier d'entraînement* **U 6**

Vous êtes libre ?

www.cohesion.com/accueil/

Les plus visités ▾   Démarrage   Dernières nouvell... 🔊

Cohésion

Vous voulez organiser un séminaire d'entreprise, dynamiser, motiver vos employés et développer « l'esprit d'équipe » ?

Vous cherchez des idées originales, amusantes ?

Choisissez dans notre catalogue, contactez-nous et rencontrez nos conseillers.

Terminé

A

REPÉRER

1. Observez le document A.

a. Quelle est la nature de ce document ?

b. Qu'est-ce que cette entreprise propose ?

c. Pour qui, et pour faire quoi ?

2. Écoutez la conversation.

a. L'homme téléphone à qui ?

b. Combien de voix vous entendez ?

c. Pourquoi est-ce qu'il téléphone ?

Sur quelle touche il a tapé ?

COMPRENDRE

3. Réécoutez la conversation.

a. Quels sont les horaires d'ouverture de l'entreprise ?

b. À quelle heure M. Pereira a rendez-vous ?

c. Quelles sont les deux façons de dire l'heure ?

B

Lundi
8
9   8h30 > 18h Bureau
10
11
12 12h15 déjeuner avec
13 M. Zheng
14
15
16
17
18
19 18h30 tennis
20
21

Mardi
8   7h42 train à Paris
9
10
11
12   SALON DU CHOCOLAT
13
14
15
16
17
21

Mercredi
8
9   9h > 11h30 Comptabilité
10
11
12 12h30 > 19h Bureau
13 13h30 Présentation
14   des nouveaux produits
15
16
17 20h30 resto
18   avec Guillaume
19   au « Détour »
20
21

Jeudi
8
9   8h30 > 12h15 Bureau
10
11
12
13 13h15/14h45
14   cours de chinois
15
16 15h > 18h30 Bureau
17
18
19
20
21

Vendredi
8
9   8h45 > 17h30 Bureau
10
11
12
13
15
16
17
18 18h45 Apéro
19   avec Luisa
20
21

La chance est au rendez-vous !   La chance est au rendez-vous !   La chance

Exprimer

4. Écoutez à nouveau la conversation.

a. Quand est-ce que la journée spéciale a lieu ?

b. Regardez l'agenda de M. Pereira : est-ce qu'il est libre mardi ? Pourquoi ?

c. À quelle heure est la réunion de Mme Girard jeudi ?

PRATIQUER

5. Quelle heure il est ?

Donnez les heures de deux façons.

→ 15 h 40 ☐ Il est quinze heures quarante.
☐ Il est quatre heures moins vingt.

a. 18 h 15   b. 08 h 50   c. 22 h 20   d. 00 h 10   e. 03 h 45

6. Quand ?

Complétez l'emploi du temps de M. Pereira avec les heures.

→ Lundi, M. Pereira travaille de huit heures et demie à dix-huit heures/six heures du soir.

Lundi, il a rendez-vous ... avec M. Zheng pour déjeuner.

Mardi il prend le train ... pour aller à Paris.

Mercredi, il travaille ... , et il a une pause déjeuner ... .

Le soir, il dîne avec Guillaume, il a rendez-vous ... .

Jeudi, il a un cours de chinois ... .

Vendredi, il travaille ... , et ... il prend l'apéritif avec Louise.

À VOUS !

7. À vos planning !

a. Vous travaillez dans une entreprise, au service *marketing*. Vous complétez une page d'agenda avec vos obligations, vos rendez-vous et vos activités.

b. Le directeur de votre entreprise vous demande d'organiser la présentation des nouveaux produits. Vous prenez un rendez-vous avec un collègue pour préparer cette présentation.

MINUTES SON

Les sons [œ] **et** [ø]

Écoutez : vous entendez [œ] ou [ø] ?

	[œ]	[ø]
→ Lundi, je peux.		√

FIXER UN RENDEZ-VOUS

Communication

> **Proposer un rendez-vous**
– Vous êtes libre ?
– À quelle heure est-ce que vous êtes libre ?
– C'est possible ?
– Quand est-ce que c'est possible ?

> **Accepter**   **Refuser**
– Oui, c'est possible,   - Désolé, je ne peux pas,
– D'accord.   - Je ne suis pas libre.

> **Demander et dire l'heure**
– Il est quelle heure ? / Quelle heure il est ?
– Il est 16 heures.

> **Donner l'heure**
- Indiquer une heure précise : à + heure
J'ai une réunion à 10 heures.
- Indiquer une heure approximative : vers + heure
Je finis vers 18 heures.

Heure formelle / 24 h		Heure courante / 12 h
Huit heures quinze	8 h 15	Huit heures et quart
Neuf heures trente	9 h 30	Neuf heures et demie
Douze heures	12 h 00	Midi
Quinze heures trente-cinq	15 h 35	Quatre heures moins vingt-cinq
Zéro heure	00 h 00	Minuit

Grammaire

> **Exprimer la durée :**
- pendant
Pendant notre séminaire
- de ... à ...
Les bureaux sont ouverts de 8 h 30 à 18 h.
- entre ... et ...
J'ai une réunion entre 13 h et 14 h.
- jusqu'à
Je reste jusqu'à 21 heures.

> **Pouvoir**
Je *peux*   Nous *pouvons*
Tu *peux*   Vous *pouvez*
Il/Elle *peut*   Ils/Elles *peuvent*

➡ *Voir Cahier d'entraînement U 6*

Tâche finale

Vous choisissez une des deux options suivantes et vous formez
deux groupes pour les réaliser.

Situation 1 :
Chaque année, pendant un week-end, votre entreprise organise un séminaire pour les
employés : c'est un séminaire de détente et de cohésion d'équipe. Vous organisez le
programme d'une journée.

Situation 2 :
À chaque rentrée, votre école organise un week-end d'intégration pour les nouveaux étudiants.
Vous organisez le programme d'une journée.
a. Vous choisissez la période et le lieu du week-end.
b. Vous choisissez des activités adaptées à la convivialité, au bien-être, à la motivation, etc.
c. Vous organisez et vous présentez votre planning.

Samedi :
10h : accueil et
petit-déjeuner
11h-13h : jeux d'équipes
(volley, basket..)
13h-14h30 : déjeuner
15h : Musique en groupe
17h30 : relaxation au sauna
20h : dîner

SOIREE D'INTEGRATION
15 juin 2012

22h : grande soirée DJ !!

TACTIQUES

Choisissez la situation qui vous correspond et utilisez vos
connaissances ou vos expériences personnelles.
Vous avez aussi des exemples d'activités dans l'unité.

Pour organiser votre programme et présenter le planning
de votre séminaire, vous pouvez utiliser les expressions
de la chronologie et de la durée.

Préparation au DELF

COMPRÉHENSION DE L'ORAL

1 Écoutez l'interview et répondez (3 écoutes) :

1. À quel moment de la journée est-ce que l'écrivain préfère écrire ? ....

2. À quelle heure est-ce qu'il se lève ? ....

3. Combien de temps il écrit chaque jour ? ....

4. Qu'est-ce qu'il boit le matin au petit-déjeuner ? ....

5. Son temps libre : choisissez la fréquence correcte.

	Tous les week-ends	Deux fois par mois	Une fois par semaine
Il voit ses amis.			
Il va au cinéma.			
Il va au théâtre.			

COMPRÉHENSION DES ÉCRITS

2 Lisez et choisissez la réponse correcte :

a. Le message est :
- ☐ professionnel
- ☐ personnel
- ☐ administratif

b. Qui écrit le message :
- ☐ Émilie
- ☐ Farid
- ☐ Juliette

c. Juliette est à Paris pour :
- ☐ des vacances
- ☐ un stage
- ☐ une fête de famille

d. Elle circule :
- ☐ à vélo
- ☐ en bus
- ☐ en métro

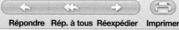
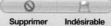

Supprimer   Indésirable   Répondre   Rép. à tous   Réexpédier   Imprimer

De : Juliette (juju90@gmail.com)
Date : le 3 février 2012
À : Farid (farmidable@scr.fr)
Objet : coucou

Salut Farid,

Comment ça va à Rennes ? Pas trop fatigué ?

Moi, je suis arrivée samedi dernier, et je reste jusqu'à dimanche prochain. Mon stage se passe bien, je commence tôt le matin, à 7 h 45 et je finis à 18 h. À midi, j'ai une pause de 12 h à 13 h 30. Chaque soir je reprends le métro pour rentrer chez ma cousine Émilie. Je passe plus de 40 mn dans les transports, tu imagines ? Je rencontre des gens intéressants, et mes collègues sont très sympas !

Paris est magnifique : je me promène tous les jours près de la Seine et je suis allée voir la Tour Eiffel lundi. Je profite de chaque minute ! Je t'appelle quand je rentre.

Bises, Juju

PRODUCTION ÉCRITE

3 Vous êtes intéressé(e) par ce stage.

Vous écrivez un mail pour demander des précisions sur le stage (les dates, les horaires, le rythme de travail...). Vous demandez un rendez-vous et vous donnez vos disponibilités pour ce rendez-vous. (50 mots)

Offre de stage : gestion touristique locale.
Descriptif : vous participez à la présentation et l'animation d'activités touristiques.
Profil : vous êtes dynamique, vous parlez 2 langues étrangères.
Lieu : Saint-Jean-de-Luz (64).
Rémunération : 450 euros/mois.

ET PLUS ...

1. LE CALENDRIER FRANÇAIS

Janvier	Février	Mars	Avril	Mai	Juin	Juillet	Août	Septembre	Octobre	Novembre	Décembre
1 JOUR DE L'AN	1 Ella	1 Aubin	1 Hugues	1 FÊTE DU TRAVAIL	1 Justin	1 Thierry	1 Alphonse	1 Gilles	1 Thé. de l'E. Jésus	1 TOUSSAINT	1 Florence
2 Basile	2 Présentation	2 Ch.le Bon	2 Sandrine	2 Boris	2 Blandine	2 Martinien	2 Julien Eymard	2 Léger	2 Gérard	2 Défunts	2 Viviane
3 Geneviève	3 Blaise	3 Guénolé	3 Richard	3 Phil.,Jacq.	3 Kévin	3 Thomas	3 Lydie	3 Grégoire	3 Fr. d'Assise	3 Hubert	3 François Xavier
4 Odilon	4 Véronique	4 Casimir	4 Isidore	4 Sylvain	4 Clotilde	4 Florent	4 jean-M. Vianney	4 Rosalie	4 Fleur	4 Charles	4 Barbara
5 Edouard	5 Agathe	5 Olive	5 Irène	5 Judith	5 Igor	5 Antoine	5 Abel	5 Raïssa	5 Bruno	5 Sylvie	5 Gérald
6 Mélaine	6 Gaston	6 Colette	6 Marcellin	6 Prudence	6 Norbert	6 Mariette	6 Transfiguration	6 Bertrand	6 Bruno	6 Bertille	6 Nicolas
7 Raymond	7 Eugénie	7 Félicité	7 J-B. de la Salle	7 Gilbert	7 Gaëtan	7 Raoul	7 Reine	7 Carine	7 Serge	7 Ambroise
8 Lucien	8 Jacqueline	8 Jean de Dieu	8 Gisèle	8 VICTOIRE 1945	8 Médard	8 Thibault	8 Dominique	8 Nativité	8 Pélagie	8 Geoffroy	8 Imm. Conception
9 Alix	9 Apolline	9 Françoise	9 PÂQUES	9 Pacôme	9 Diane	9 Amandine	9 Amour	9 Alain	9 Denis	9 Théodore	9 Pierre Fourier
10 Guillaume	10 Arnaud	10 Vivien	10 L. de PÂQUES	10 Solange	10 Landry	10 Ulrich	10 Laurent	10 Inès	10 Ghislain	10 Léon	10 Romaric
11 Pauline	11 ND de Lourdes	11 Rosine	11 Fulbert	11 Estelle	11 Barnabé	11 Benoît	11 Claire	11 Adelphe	11 Firmin	11 ARMISTICE 1918	11 Daniel
12 Tatiana	12 Félix	12 Justine	12 Stanislas	12 Achille	12 Guy	12 Olivier	12 Clarisse	12 Apollinaire	12 Wilfried	12 Christian	12 Jeanne F.C.
13 Yvette	13 Béatrice	13 Rodrigue	13 Jules	13 Rolande	13 Antoine de P.	13 Henri et Joël	13 Hippolyte	13 Aimé	13 Géraud	13 Brice	13 Lucie
14 Nina	14 Valentin	14 Mathilde	14 Ida	14 Maxime	14 Elisée	14 FÊTE NATIONALE	14 Evrard	14 Croix Glorieuse	14 Juste	14 Sidoine	14 Odile
15 Rémi	15 Claude	15 Louise	15 Paterne	15 Denise	15 Germaine	15 Donald	15 Assomption	15 Roland	15 Thérèse d'Avila	15 Albert	15 Ninon
16 Marcel	16 Julienne	16 Bénédicte	16 Benoît-Joseph	16 Honoré	16 J. F. Régis	16 ND Mt Carmel	16 Armel	16 Edith	16 Edwige	16 Marguerite	16 Alice
17 Roseline	17 Alexis	17 Patrice	17 Anicet	17 Pascal	17 Hervé	17 Charlotte	17 Hyacinthe	17 Renaud	17 Baudouin	17 Elisabeth	17 Gaël
18 Prisca	18 Bernadette	18 Cyrille	18 Parfait	18 Eric	18 Léonce	18 Frédéric	18 Hélène	18 Nadège	18 Luc	18 Aude	18 Gatien
19 Marius	19 Gabin	19 Joseph	19 Emma	19 Yves	19 Romuald	19 Arsène	19 Jean Eudes	19 Emilie	19 René	19 Tanguy	19 Urbain
20 Sébastien	20 Aimée	20 Printemps	20 Odette	20 Bernardin	20 Silvère	20 Marina	20 Bernard	20 Davy	20 Adeline	20 Edmond	20 Théophile
21 Agnès	21 Damien	21 Clémence	21 Anselme	21 Constantin	21 Eté	21 Victor	21 Christophe	21 Matthieu	21 Céline	21 Prés. de Marie	21 Hivers
22 Vincent	22 Isabelle	22 Léa	22 Alexandre	22 Emile	22 Alban	22 Marie Madeleine	22 Fabrice	22 Maurice	22 Elodie43	22 Cécile	22 Françoise Xavière
23 Barnard	23 Lazare	23 Victorien	23 Georges	23 Didier	23 Audrey	23 Brigitte	23 Rose de Lima	23 Automne	23 Jean de Capistran	23 Clément	23 Armand
24 Fr. de Sales	24 Modeste	24 Cath. de Suède	24 Fidèle	24 Donatien	24 Jean-Baptiste	24 Christine	24 Barthélemy	24 Thècle	24 Florentin	24 Flora	24 Adèle5
25 Conv.de Paul	25 Roméo	25 Annonciation	25 Marc	25 Sophie	25 Prosper	25 Jacques	25 Louis	25 Hermann	25 Crépin	25 Catherine	25 NOËL
26 Paule	26 Nestor	26 Larissa	26 Alida	26 Bérenger	26 Anthelme	26 Anne,Joachim	26 Natacha	26 Côme et Damien	26 Dimitri	26 Delphine48	26 Etienne
27 Angèle	27 Honorine	27 Habib	27 Zita	27 PENTECÔTE	27 Fernand	27 Nathalie	27 Monique	27 Vinc. de Paul	27 Emeline	27 Sévrin	27 Jean
28 Th. d'Aquin	28 Romain	28 Gontran	28 Valérie	28 L. de PENTECÔTE	28 Irénée	28 Samson	28 Augustin	28 Venceslas	28 Jude	28 Jacq. de la M.	28 Innocents
29 Gildas	29 Auguste	29 Gwladys	29 Cath. de Sienne	29 Aymar	29 Pierre-Paul	29 Marthe	29 Sabine	29 Michel	29 Narcisse	29 Saturnin	29 David
30 Martine		30 Amédée	30 Robert	30 Ferdinand	30 Martial	30 Juliette	30 Fiacre	30 Jérôme	30 Bienvenue	30 André	30 Roger
31 Marcelle		31 Benjamin		31 Visitation		31 Ignace de L.	31 Aristide		31 Quentin		31 Sylvestre

> Combien de jours fériés il y a en France ?

> Et dans votre pays, combien de jours fériés il y a ? Quels sont les jours fériés communs avec la France ?

2. EN FRANCE, CES FÊTES MARQUENT LE RYTHME DE L'ANNÉE...

Le Jour de l'An

La Saint Valentin

Le 14 juillet

Noël

> Est-ce que vous connaissez ces fêtes ?

> Elles existent aussi dans votre pays ?

En ville !

Objectifs

Décrire un lieu
Indiquer un itinéraire
Se renseigner sur un lieu

Métro Patrimoine ARCHITECTURE
HABITANT VILLE Itinéraire
RUE Bâtiment
transport GARE

Vie de quartier

REPÉRER

1. Observez le document A.

a. Est-ce que vous connaissez ces 2 villes ?
Situez-les sur la carte de France (voir carte au dos de la couverture).

b. Quels types d'informations donne la « carte d'identité » de ces villes : des informations touristiques, des informations sur la vie quotidienne, des informations pratiques, des informations géographiques ?

2. Écoutez le reportage. Regardez aussi la vidéo !

a. Qui interroge ces personnes ?

b. Elles habitent où ?

c. De quoi elles vont parler ?

COMPRENDRE

3. Réécoutez le reportage.

a. Est-ce que Claire, Tina, Elias et Paul apprécient leur ville ? Pourquoi ?
→ *Parce qu'il y a ....*

b. Comment est-ce qu'ils décrivent leur ville ou leur quartier ? Retrouvez ce que Claire, Tina, Elias et Paul disent.
C'est une ville (ou c'est un quartier) :
- *étudiant(e),* – *tranquille,* – *animé(e),*
- *international(e),* – *dynamique,* – *magnifique,*
- *(très) agréable,* – *très belle,* – *très joli.*

c. Le climat est comment dans ces villes ?

4. Lisez les cartes d'identité du document A.

a. Qu'est-ce que vous apprenez encore sur ces deux villes ?
À Bordeaux, il y a ... / À Strasbourg, il y a ...

b. Est-ce que ce sont de grandes villes ?
Quelles sont leurs particularités ?

c. Strasbourg ou Bordeaux : pour y habiter, vous préférez quelle ville ? Pourquoi ?

PRATIQUER

5. Repérages...

Classez les lieux dans les catégories suivantes : *commerces, éducation, administration, loisirs/sorties.*

une pharmacie – un lycée – un bureau de poste (la Poste) – un cinéma
une école – un bureau de tabac – une mairie – un centre commercial – un musée
une boulangerie – une banque – un collège – une librairie – un restaurant

---

STRASBOURG
Carte d'identité
Habitants : les Strasbourgeois
Population : 7e ville de France avec environ 272 000 habitants (en 2008)
Situation : dans le Nord-Est de la France, à la frontière franco-allemande
Région : Alsace
Département : Bas-Rhin
Institutions européennes : Conseil de l'Europe, le Parlement européen, Cour européenne des Droits de l'Homme
Universités : plusieurs universités importantes (droit, lettres, sciences) - 52 000 étudiants ; ENA (École Nationale d'Administration)
Transports : 6 lignes de tramway, 30 lignes de bus, bateaux-mouches (sur l'Ill), vélos en location, 1 gare SNCF, 1 aéroport international
Signes particuliers :
- centre-ville classé au Patrimoine mondial de l'Unesco
- un des plus grands centres piétons de France
- première ville de France pour son réseau cyclable : 536 km de pistes cyclables
- célèbre pour son Marché de Noël

BORDEAUX
Carte d'identité
Habitants : les Bordelais
Population : 9e ville de France, avec environ 240 000 habitants
Situation : près de l'Atlantique, dans le Sud-Ouest de la France
Région (département) : Aquitaine (Gironde)
Universités : 6e ville universitaire française (65 000 étudiants) ; ENM (École Nationale de Magistrature)
Transports : 3 lignes de tramway, 65 lignes de bus, bateau (sur la Garonne), vélos en location, 1 gare SNCF, 1 aéroport régional
Signes particuliers :
- centre-ville classé au patrimoine mondial de l'UNESCO
- capitale mondiale du vin

WebTV ville

J'ai un bon plan !   J'ai un bon plan !   J'ai un bon plan !   J'ai un bon pla

Découvrir

6. Cherchez les erreurs !

Corrigez la description du quartier : il y a 5 erreurs !

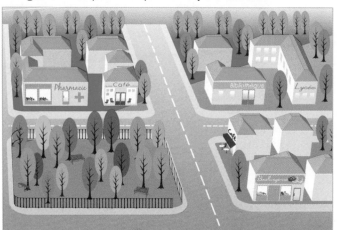

« Dans mon quartier, il y a **un restaurant**, un cinéma, une pharmacie. Il y a aussi un lycée ; il n'y a pas de bibliothèque. Il y a des arbres mais il n'y a pas de jardin. Il y a un supermarché et il n'y a pas de boulangerie. »

→ *Il n'y a pas de restaurant : il y a un café.*

7. Impressions

Associez ces lieux célèbres aux impressions suivantes.

→ La place de la Concorde → C'est une belle place.

Le musée Guggenheim, à Bilbao	C'est un immense parc.
Shibuya, à Tokyo	C'est un monument magnifique.
Central Park	C'est un lieu intéressant.
Rome	C'est un quartier très animé.
Le château de Versailles	C'est une ville merveilleuse.

À VOUS !

8. C'est comment chez vous ?

Questionnez votre voisin pour découvrir sa ville et son quartier.

DÉCRIRE UN LIEU

Vocabulaire

> **Les lieux de la ville**
- Un quartier
- Un commerce = un magasin = une boutique
- Un centre commercial, un supermarché
- Une école ; un lycée ; une université
- Une banque
- Un parc ; un jardin
- L'hôtel de ville ; la mairie
- Une ambassade
- L'office du tourisme
- La poste
- Un hôpital
- Un département

> **Quelques adjectifs pour qualifier un lieu**
- Tranquille   - Animé(e)   - Dynamique
- Beau/belle   - Joli(e)   - Magnifique
- Agréable   - Moderne   - International(e)

> **Quelques expressions pour parler du climat**
- Il fait / Il ne fait pas beau

            froid ≠ chaud
- Il pleut / Il ne pleut pas.

Communication

> **Décrire un lieu**

- **Il y a** + article indéfini	- **Il n'y a pas** + de

Il y a un opéra
       une école
       des salles de
       concert
	Il n'y a pas de marché
	       de voitures.

- **Il y a** + article défini *Il y a le Parlement* *européen.*	⚠ Devant une voyelle, **de** → **d'**. *Il n'y a pas d'école.*
- **Il y a** + quantitatif *Il y a beaucoup* *d'étudiants.*	

> **Caractériser un lieu**

- **C'est** + adjectif
Strasbourg, c'est joli !

- **C'est** + un/une + nom + adjectif
C'est un quartier animé. / C'est une ville animée.

⚠ Certains adjectifs se placent avant le nom : beau/belle, grand(e), petit(e)
C'est un beau quartier. C'est une belle ville.

MINUTES SON

Les sons [i] **et** [y]

Écoutez : vous entendez le son [i], le son [y] ou les deux ?

→ *Voir Cahier d'entraînement* **U 7**

J'ai un bon plan !   J'ai un bon plan !   J'ai un bon plan !   J'ai un bon plan !

Itinéraires...

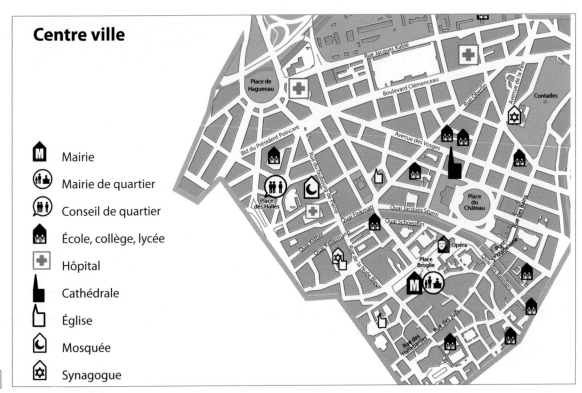

Centre ville

- 🏛 Mairie
- 🏛 Mairie de quartier
- 🏛 Conseil de quartier
- 🏫 École, collège, lycée
- ✚ Hôpital
- ⛪ Cathédrale
- ⛪ Église
- 🕌 Mosquée
- 🕍 Synagogue

[A]

REPÉRER

1. Observez le document A.

a. Qu'est-ce que c'est ?

b. Décrivez ce quartier.

2. Écoutez le dialogue.

a. Qui parle ? Combien de voix vous entendez ?

b. Où ils vont ?

COMPRENDRE

3. Écoutez une deuxième fois le dialogue.

a. Décrivez la situation : quel est le problème ? Comment se déplacent les personnes finalement ?

b. Quelle question le jeune homme pose pour demander son chemin ?

c. Suivez sur le plan l'itinéraire indiqué au jeune homme.

Mettez ces illustrations ci-contre dans l'ordre.

4. Observez ces phrases extraites du dialogue.

Quels mots remplacent le pronom **Y** ?

– Mathieu, tu m'accompagnes à la poste ?

– Oui si tu veux ! On **y** va comment ?

– Où se trouve la place du Château ?

– C'est juste à côté de la Cathédrale. Mais vous devez **y** aller à pied.

78

Paris ne s'est pas fait en un jour...   Paris ne s'est pas fait en un jour...

Exprimer

PRATIQUER

5. Feuille de route

Complétez les indications avec un verbe à l'impératif à la 2ᵉ personne du pluriel. Puis, à l'oral, transformez en utilisant la 2ᵉ personne du singulier.

> Feuille de route : de la gare SNCF au n° 1, rue de la Merci.
> Quand vous arrivez à la gare :
> (Prendre) ... la rue de Maguelone.
> (Aller) ... jusqu'à la place de la Comédie.
> (Traverser) ... la place.
> (Prendre) ... la rue Foch, en face de vous.
> (Continuer) ... tout droit jusqu'à l'Arc de Triomphe.
> (Tourner) ... à gauche dans la rue de la Merci. C'est là !

6. On y va !

Répondez aux questions : remplacez les mots en gras par le pronom Y et conjuguez le verbe entre parenthèses.

→ Fred, tu vas **au cinéma** ce soir ? – Non, (aller) j'**y** vais demain.

a. Cécile habite **chez Franck** ? — Oui, (habiter) depuis un mois.

b. Vous allez **à la soirée** en voiture ? – Non, (aller) à vélo.

c. Marie vit **à Tignes** toute l'année ? – Non, (ne pas vivre) en été.

d. Vous rentrez **chez vous** tout de suite ? — Oui, (aller) !

e. Oscar, tu connais bien **Paris** ? — Oui, (aller) une fois par mois.

f. Élise est **à la piscine** ce soir ? — Bien sûr, (nager) tous les soirs.

À VOUS !

7. Un trajet ensemble

Vous cherchez dans votre groupe une personne qui habite ou travaille près de chez vous, pour faire le trajet jusqu'à votre cours de français ensemble. Vous choisissez où vous allez vous retrouver, quel moyen de transport (voiture, vélo, marche à pied) vous allez choisir et quel chemin vous allez prendre.

MINUTES SON

Le son [j]

Écoutez les phrases et repérez la syllabe qui contient le son [j]. Observez l'orthographe du son [j].

→ Voici ma famille !

a. Tu connais cette fille ?

b. Il y a un lycée.

c. La place de la Bastille.

d. Tu travailles ?

e. Il faut y aller !

f. C'est incroyable !

INDIQUER UN ITINÉRAIRE

Grammaire

> **Le pronom Y**

- On utilise le pronom Y pour remplacer un complément de lieu. Il est placé avant le verbe.
– *Est-ce que le bus n° 32 va à la mairie ?*
– *Oui, il y va. / Non, il n'y va pas.*

Communication

Demander de situer	Situer/Localiser
- *Où se trouve la mairie ?*	- *La mairie se trouve dans le centre-ville.*
- *Où est la mairie ?*	- *La mairie est dans le centre-ville.*

> **Demander son chemin**
C'est par où ... ?

> **Donner des indications/Indiquer un itinéraire**
· On peut utiliser l'impératif ou le présent de l'indicatif.
Continuez tout droit. Vous continuez tout droit.
· À l'écrit, on peut aussi utiliser l'infinitif.
Continuer tout droit.

Vocabulaire

> **Les moyens de transport**

- Le bus	- La voiture
- Le métro	- Le vélo
- Le tramway	- À pied

> **Les verbes de déplacement**

- Tourner — à droite/à gauche/dans la rue...
- Prendre — la première rue à droite
- Traverser — l'avenue/le boulevard/la rue/le pont/la place
- Monter ≠ Descendre la rue...

· Prendre le bus, le train ...
· Se déplacer (aller, partir, venir...) :

- en bus	- en avion
- en tramway	- en voiture
- en train	- à pied
- à vélo	

→ *Voir Cahier d'entraînement* **U 7**

On visite ?

REPÉRER

1. Observez le document A.

a. Quel événement est organisé ?

b. Où et quand ça se passe ?

c. D'après vous, qu'est-ce que l'image représente ? Qu'est-ce que ça veut dire « patrimoine » ?

2. Écoutez le dialogue.

a. Qui parle ? À qui ?

b. Où se passe la scène ?

COMPRENDRE

3. Document A : observez.

a. Vous voyez quels lieux et quelles œuvres d'art sur cette affiche ?

b. Ces lieux sont : des monuments historiques, des lieux publics, des lieux privés ?

c. Est-ce que cette manifestation existe dans votre pays ? Est-ce que vous avez déjà participé à une manifestation comme celle-là ?

4. Réécoutez le dialogue et observez le document B.

a. D'après les personnes, la vue sur Paris est comment ? Donnez trois adjectifs. Est-ce que leurs impressions sont positives ?

b. Quelle description correspond à chaque lieu ?

- le Sacré-cœur	- cet étrange monument
- la Tour Eiffel	- ce grand bâtiment coloré, bleu et rouge
- Beaubourg	- ces deux belles tours
- Notre-Dame	- cette grande église blanche

c. Observez ces expressions. Pourquoi on utilise *ce, cet, cette, ces* ?

5. Réécoutez le dialogue et observez bien le document B.

a. Repérez sur le plan de Paris les lieux cités dans le document. Où est-ce qu'ils se trouvent ?

b. Un homme pose des questions sur un monument : sa situation dans la ville, son accès et ses horaires. Retrouvez ses questions.

PRATIQUER

6. Regarde !

Complétez avec **ce**, **cet**, **cette** ou **ces**.

→ *Regarde ! Tu vois **cet** homme là-bas ? C'est notre guide.*

a. Tu vois ... restaurant asiatique ? Le cinéma est juste à côté.

b. Regardez ... édifice moderne, à votre droite : c'est le Ministère de la Culture.

Les Journées européennes du patrimoine

Depuis 1984, la France organise les Journées du Patrimoine : c'est l'événement culturel de la rentrée. Pendant deux jours, toutes les villes ouvrent des lieux généralement fermés au public. Depuis 1991, 50 pays en Europe organisent aussi ces journées de découverte. On les appelle donc les **Journées européennes du Patrimoine**.

Chaque année, plus de 12 millions de Français participent aux Journées d

Échanger

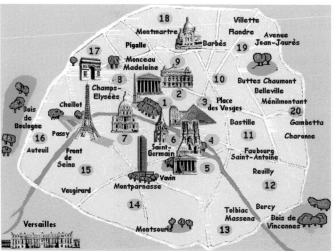

🎧 58 B

c. ... place, c'est une très belle place ! C'est la place de la Comédie.

d. Tu vois ... grande avenue ? C'est la Canebière.

e. Vous voyez ... bâtiment avec ... grandes fenêtres ? C'est la mairie.

7. Au musée...

Trouvez les questions à partir des réponses.

→ Question : *Combien est-ce que l'entrée coûte ?*

➡ Réponse : *C'est 10 € pour les adultes.*

a - Le musée est ouvert tous les jours sauf le lundi.

b - Il se trouve près de la place de la Concorde.

c - C'est en face de la sortie du métro.

d - Vous pouvez prendre le métro jusqu'à la station Concorde.

À VOUS !

8. Renseignez-vous !

Deux par deux : imaginez que vous allez à l'Office du tourisme pour vous renseigner sur le programme des *Journées européennes du Patrimoine.* Vous demandez des informations sur les lieux que vous pouvez visiter : accès, horaires, localisation dans la ville.

MINUTES SON 🎧 59

Le son [ʀ]

Écoutez et répétez les phrases suivantes. Soulignez le son [ʀ].

→ Où est la gare ?

a. C'est le musée d'art moderne.

b. On arrive !

c. C'est un bon restaurant.

d. Tournez à gauche.

e. Arrête le GPS !

SE RENSEIGNER SUR UN LIEU

Grammaire

> **Les adjectifs démonstratifs** *ce, cet, cette, ces*

Devant un nom singulier	
Masculin	Féminin
ce + *nom masculin* *ce monument*	*cette* + nom féminin *cette* vue
cet + nom commençant par une voyelle *cet édifice*	

Devant un nom pluriel masculin / féminin
ces + nom pluriel   *ces* monuments / *ces* tours

> **Les prépositions de lieu**

· Pour localiser et situer dans l'espace, on utilise les prépositions de lieu : en face de, près de, à côté de ≠ loin de, à l'intérieur ≠ à l'extérieur (de).

⚠ - Devant un nom masculin : **du**
En face du théâtre

- Devant un nom féminin : **de la**
En face de la gare

- Devant un nom commençant par une voyelle : **de l'**
En face de l'opéra

> **Des adverbes pour s'orienter**

· Ici — *Ici, vous êtes devant la basilique du Sacré-cœur.*

· Là-bas, là — *Là-bas, ... c'est le Centre Pompidou.*

Communication

> **Poser des questions pour s'informer sur :**

- **le lieu**
Où est-ce que Beaubourg se trouve ?

- **le temps** (les horaires)
Quand est-ce qu'on peut visiter le Centre Pompidou ?

- **la manière** (l'accès, les moyens de transports)
Comment est-ce qu'on peut y aller ?

- **le prix, la quantité**
Combien est-ce que l'entrée coûte ?

Vocabulaire

> **Les lieux du patrimoine**

- Un monument historique : un château, une tour
- Un lieu de culte : une église, une cathédrale, une basilique, une mosquée, une synagogue
- Un lieu public : un musée, un ministère, une mairie, un hôpital, une école, un gymnase
- Un lieu privé : une maison, un magasin

⇨ *Voir Cahier d'entraînement* **U 7**

 atrimoine. Chaque année, plus de 12 millions de Français participent aux Jou

Action!

Tâche finale

Faites découvrir votre ville à vos amis !
Vous imaginez un itinéraire pour une visite guidée dans votre ville.
a. Vous choisissez la durée de la visite (une demi-journée, une journée).
b. Vous choisissez un thème, puis vous élaborez le parcours.

TACTIQUES

Vous pouvez choisir différents thèmes, selon vos centres d'intérêt :
- le centre-ville,
- les monuments historiques,
- l'architecture,
- la vie pratique,
- les lieux pour sortir,
- vos endroits préférés,
- etc.

Pour préparer l'itinéraire, vous pouvez chercher sur Internet des « visites virtuelles » de votre ville, créer votre itinéraire sur « google earth » ou « mappy.com ».

Pour mieux connaître votre ville, vous pouvez vous renseigner à l'Office du tourisme.

Préparation au DELF

COMPRÉHENSION DE L'ORAL

1 Vous allez entendre 2 fois le document. Vous aurez 30 secondes de pause entre les 2 écoutes, puis 30 secondes pour vérifier vos réponses. Lisez d'abord les questions.

1. Nadia est à Genève :
☐ pour le week-end
☐ en vacances
☐ pour le travail

2. Nadia dort :
☐ chez ses enfants
☐ chez des amis
☐ à l'hôtel

3. Elle aime cette ville parce que :
☐ il y a beaucoup de musées
☐ il y a beaucoup de monuments
☐ il y a beaucoup de parcs

4. Le musée d'art contemporain est :
☐ fatigant
☐ passionnant
☐ amusant

COMPRÉHENSION DES ÉCRITS

2 Lisez ce document et répondez aux questions.

1. Dans ce mail :
☐ Célia invite Hakima chez elle
☐ Hakima explique comment venir chez elle à Célia
☐ Célia explique comment venir chez elle à Hakima

2. Célia :
☐ arrive à 18h05
☐ arrive à 18h15
☐ on ne sait pas

3. Célia doit passer :
☐ devant la cathédrale
☐ devant le Palais de Justice
☐ devant une petite place

4. Si elle est perdue, Hakima conseille à Célia de :
☐ aller à la cathédrale
☐ téléphoner à Hakima
☐ demander son chemin

De : hakima.saned@mis.fr
Date : 13/05/2012
À : celiange@gmail.com
Objet : Ton arrivée

Salut Célia,

Enfin, tu viens chez moi pour le week-end ! Je suis super contente ! Le train arrive à 18h05, c'est ça ? Vendredi, je finis à 18h15… Je suis désolée mais je ne peux pas venir te chercher à la gare. Alors voici quelques explications.

Quand tu sors de la gare, tu prends à gauche, le boulevard du Grand-cerf. Puis, tu arrives sur une petite place : tu la traverses et tu prends la rue à gauche. Là, tu continues tout droit, tu passes devant le Palais de Justice. Avant d'arriver à la cathédrale, tu dois tourner à droite, rue Faguet. Ensuite, tu prends la deuxième à gauche puis la première à droite. Ma rue est juste après, à droite, juste à côté de l'église.
Ne t'inquiète pas, c'est facile ! Et si tu es perdue, demande à un passant : tout le monde connaît la cathédrale St-Pierre !

Je suis impatiente de te voir !
Bises,
Hakima

PRODUCTION ORALE

3 Posez des questions à l'examinateur à partir de ces mots-clés : logement, ville, transport.

ET PLUS ...

1. DES MUSÉES PARTOUT ET POUR TOUS !

DES GRANDS MUSÉES **DÉMÉNAGENT EN PROVINCE ET À L'ÉTRANGER...**

Vous connaissez le musée Guggenheim à New York, le musée du Louvre et le Centre Pompidou à Paris ?
Il y a maintenant un musée Guggenheim à Bilbao (Espagne),
un musée du Louvre à Abu Dhabi (Émirats Arabes Unis). On peut aussi visiter le Centre Pompidou
et bientôt le Louvre dans les villes de province en France à Metz et à Lens.

Centre Pompidou à Metz

Centre Pompidou à Paris

> Vous connaissez ces musées ? Est-ce que vous les avez visités ? Si oui, dans quelles villes ?

2. ÉVOLUTIONS URBAINES

DES ANCIENS BÂTIMENTS **DEVIENNENT DES LIEUX CULTURELS**

La ville change.
L'architecture évolue.
Les bâtiments se transforment : un ancien parlement devient un hôtel de luxe, un couvent devient un musée,
une usine devient un centre culturel,
un ancien atelier devient un loft, etc.
Ici, une ancienne piscine et une ancienne usine sont devenues des lieux culturels et ouverts au public.
Aujourd'hui, on peut y voir des expositions, des spectacles (danse, théâtre, cirque), des concerts, des ateliers d'artistes !

Le musée d'art et d'industrie André Diligent :
La Piscine à Roubaix.

Un lieu pour l'art contemporain, le Tri Postal :
un ancien centre de tri de la Poste (Lille, France)

> Est-ce que vous connaissez d'autres lieux comme ceux-là ?

> Est-ce qu'il existe dans votre ville des lieux « transformés » ?

CARNET PRATIQUE

Ne vous perdez pas !
> **Des cartes dans des livres :** la collection Cartoville (éditions Gallimard) propose des guides touristiques spécialisés dans la découverte des principales villes du monde (traduits en 15 langues) ; les Guides du Routard et la collection Le Petit Futé sont aussi très intéressants pour découvrir la France.
> **Des cartes sur Internet :** www.earth.google.com ; www.mappy.com.
> **Des visites guidées virtuelles :**
- sur Géoportail, www.geoportail.fr/ ;
- sur certains sites Internet d'offices de tourisme ;
- et sur www.paris-26-gigapixels.com pour une visite virtuelle de Paris.
> **Un institut spécialisé :** l'IGN (Institut Géographique National), www.ign.fr/.

Nos sorties...

Objectifs

Découvrir les activités culturelles
Proposer une sortie
Donner son avis et son opinion

France, terre de festivals

Quelques exemples de festivals français...

1

2

3

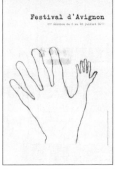

4

REPÉRER

1. Observez le document A.

a. Quelle est la nature de ces documents ?

b. Qu'est-ce qu'on voit ?

c. Retrouvez les villes citées sur la carte de France.

2. Lisez le document B.

a. Qu'est-ce qu'un festival ?

b. Est-ce que la France organise beaucoup de festivals ?

3. Écoutez les interviews. Regardez aussi la vidéo !

a. Combien de personnes parlent ?

b. De quoi elles parlent ?

c. Elles sont où ?

COMPRENDRE

4. Regardez les documents A et B et écoutez les interviews encore une fois.

a. Associez un art à chaque ville.

Biarritz	Le théâtre
Saint-Malo	La musique
Paris	Le cinéma
Avignon	La littérature

Plus de 2 000 festivals par an !

La France est le premier pays du monde pour le nombre et la variété de ses festivals. Chaque année, il y a plus de 2000 festivals. Ils se passent dans toutes les régions de France. Grands ou petits, publics ou privés, ils présentent des œuvres d'art, des spectacles et surtout… des artistes.

B

Découvrir

b. Qu'est-ce qu'on fait dans ces festivals ?
→ *À Saint-Malo, on regarde des films et on lit des livres.*

Pendant Rock en Seine, on ...
À Avignon, on ...
À Biarritz, on ...

PRATIQUER
5. Les Estivales...

Regardez cette affiche. Qu'est-ce qu'on fait à Montpellier pour les Estivales ?

6. Votre affiche préférée ?
Regardez les 4 affiches du Document A. Décrivez votre affiche préférée.

À VOUS !
7. Présentez un festival !
Présentez un festival qui a lieu dans votre ville ou dans votre pays.

MINUTES SON

Les sons [e] **et** [ə]
Écoutez et répétez ces mots. Observez leur orthographe.
Cinéma, premier, vais, festivalier, théâtre, aime, musée, séance, Seine, préféré, année ...

DÉCOUVRIR LES ACTIVITÉS CULTURELLES

Vocabulaire

> **Les activités culturelles**
- Le cinéma, un film, une séance de cinéma
- Le théâtre, une pièce
- La musique, un concert
- La peinture, la photo, une exposition dans un musée
- La danse, un ballet
- L'opéra, un opéra

> **Le public et les artistes**
- Un spectateur, une spectatrice
- Un lecteur, une lectrice
- Un acteur, une actrice
- Un réalisateur, une réalisatrice
⚠ Un chanteur, une chanteuse ; un musicien, une musicienne

Communication

> **Se distraire**
- Aller au restaurant, au cinéma, au théâtre
- Regarder/voir un film
- Voir une pièce de théâtre, une exposition
- Écouter un concert
- Écouter une chanson
- Sortir en boîte de nuit
- Lire un livre, un roman

> **Exprimer ses préférences**
J'aime bien
Je préfère
Mon film/mon chanteur/mon acteur préféré, c'est ...
J'aime bien aller au cinéma, mais je préfère voir une exposition.

> **Poser une question sur les préférences**
Quel concert vous avez préféré ?
Quelle est votre actrice préférée ?
Qu'est-ce que vous préférez : la musique contemporaine ou la musique classique ?

⇨ *Voir Cahier d'entraînement* **U 8**

On sort ce soir ?

http://www.facebook.com/sorties

facebook Recherche

BILLET

Le caféconcert
vous présente

FLORENT MARCHET
lundi 10 juin 2012   20H00

Prix TTC : 30.80 euros

Restaurant
Chez Pierrot

Chef : Tristan Frain
Adresse : 31 rue de Bellechasse
75007 Paris
Tel 01.45.51.00.00
Email tristanfrain@free.fr
www.chezpierrot.fr

MK2 BIBLIOTHEQUE
SALLE 21
01/06/2012   20:00
MK2 ILLIMITE
30 EUROS /MOIS

LE NOM DES GENS

CONCERT DE FLORENT MARCHET
(le Caféconcert le 10 juin)
Oui   Non   Peut-être

**RESTO-SURPRISE POUR
25 ANS DE LÉA**
(*Chez Pierrot*)
Oui   Non   Peut-être

**SÉANCE CINÉ AVEC
ZOÉ ET ELIOT**
(MK2 à 19h45)
Oui   Non   Peut-être

A

REPÉRER

1. Observez les documents A et B.

a. Où est-ce qu'on trouve ces messages ?

b. Quels sont les spectacles proposés sur les billets ?

c. Pourquoi est-ce que Romane invite ses amis ?

2. Écoutez le dialogue.

Qui parle ?

COMPRENDRE

3. Écoutez le dialogue une fois encore.

a. De quoi ils parlent ?

b. Où est le rendez-vous ? À quelle heure ?

c. Écoutez bien : « On va sortir en boîte... on va boire un verre », quand va se passer l'action ?

4. Réécoutez le dialogue et relisez le document A.

a. Quel est le programme de la soirée de Romane et Jules ?

b. Est-ce que Margaux va à l'anniversaire de Léa ? Pourquoi ?

c. À quelle heure est la séance ? Quel est le titre du film ?

PRATIQUER

5. Sorties parisiennes

Conjuguez les verbes au futur proche.

> « Ce week-end, je ... visiter la capitale ! Avec mon ami, nous ... voir la Tour Eiffel et Montmartre.
> On ... faire une exposition au Musée d'Orsay. Samedi soir, mes parents .... nous retrouver
> pour dîner à la Tour d'Argent. Dimanche, nous ... faire une balade en bateau sur la Seine. »

Exprimer

B

6. On y va ?

Complétez les réponses.

→ *Apéro avant les vacances / NON : Je suis désolée, je ne peux pas venir parce que je travaille tard ce soir.*

a. Concert de Mademoiselle K, au Bataclan / OUI ...
b. Nuit brésilienne aux Docks des Suds à Marseille / NON ....
c. Exposition *Le chic parisien*, musée de l'Hôtel de Ville / OUI
d. Concert David Guetta, Paris Bercy / NON
e. Pièce de théâtre *Rideau !*, théâtre du Rond-Point / OUI
f. Biennale de Danse à Lyon. / NON

À VOUS !

7. Vous venez avec moi ?

Vous choisissez une sortie, vous créez un « événement Facebook » et vous proposez à 2 amis de venir. L'un accepte ; l'autre refuse et il vous dit pourquoi il ne peut pas venir.

MINUTES SON

Les sons $[\varepsilon]$ **et** $[\emptyset]$
Écoutez et répétez.
→ *Je vais* $[\varepsilon]$ / *je veux* $[\emptyset]$

PROPOSER UNE SORTIE

Communication

> **Inviter quelqu'un**
Tu viens ? Tu es disponible ce soir ?
Est-ce que vous voulez venir avec nous ?
Je peux venir avec un ami ? Je peux amener une amie ?
On se retrouve où ?
On se retrouve chez moi ?
À quelle heure ?

> **Accepter une invitation**
Oui, je veux bien.
Avec plaisir.

> **Refuser une invitation**
Non, désolé, je ne peux pas : je voudrais venir avec vous mais je dois réviser mon examen de français.
Non, je regrette. Je ne peux pas sortir avec vous ce soir, j'ai rendez-vous avec ma petite amie

Grammaire

> **Le futur proche**
· Aller, conjugué au présent + infinitif du verbe
- Aller au présent

Je **vais**	Nous **allons**
Tu **vas**	Vous **allez**
Il/elle **va**	Ils/elles **vont**

Je vais venir.
On va boire un verre.
Qu'est-ce que vous allez faire cette semaine ?
Je vais voir des pièces de théâtre et des expositions de photo. Je vais aussi visiter la région.

- On utilise le **futur proche** pour :
- exprimer un événement qui se produit bientôt ;
- exprimer un projet, une intention.

> **Pouvoir/vouloir/devoir + infinitif**
Conjugaison du verbe vouloir :

Je v**eux**	Nous **voul**ons
Tu v**eux**	Vous **voul**ez
Il/elle/on v**eut**	Ils/elles **veul**ent

→ *Voir Cahier d'entraînement* **U 8**

Comme au cinéma...

A

REPÉRER

1. Observez le document A.

a. Qu'est-ce que c'est ?

b. Vous voyez des différences ?

2. Lisez le document B.

a. Où est-ce qu'on trouve ce document ?

b. Qu'est-ce qu'il nous présente ?

 B

Chacun ses goûts !

★ ★ ★ "Très beau film. Je l'ai adoré. Tout est parfait : les acteurs jouent bien, l'histoire est intéressante et on ne s'ennuie pas. La fin est surprenante !"

💣💣💣"Ce film est nul ! On ne croit pas à l'histoire, l'acteur est mauvais. Je me suis endormi avant la fin ! J'ai détesté ce film et je ne le recommande pas."

COMPRENDRE

 66

3. Écoutez les devinettes.

Est-ce que vous connaissez ces artistes ? Qui sont-ils ?
Aidez-vous des illustrations !

Échanger ⇐

4. **Relisez le document B.**

a. Donnez les mots utilisés pour exprimer une opinion positive/pour dire qu'on aime.

b. Donnez les mots utilisés pour exprimer une opinion négative/pour dire qu'on n'aime pas.

c. Donnez les mots utilisés pour ne pas répéter « le film » dans le document B.

PRATIQUER

5. À votre avis ?

Relevez les différences entre les affiches du document A. Donnez ensuite votre opinion sur les affiches.

6. Le bon pronom…

Utilisez le pronom qui convient : *le, la, l'* ou *les*.

- Tu n'as pas son dernier CD ? Je te …. donne.

- Vous invitez les Martin ? Oui, je … invite.

- J'aime beaucoup les films de Christophe Honoré ; je vais … acheter en DVD.

- Cette chanteuse est super ! On va … écouter au *Cabaret Frappé* puis on va … rencontrer après son concert ; ma sœur … connaît.

À VOUS !

7. Écrivez votre critique de film !

Quel est le dernier film que vous avez vu ?
Sur un forum, vous postez votre avis sur ce film :
vous le conseillez… ou pas !

DONNER SON AVIS ET SON OPINION

Communication

> Donner une opinion

Donner une opinion	Positive	Négative
Je trouve que… Je pense que… Je crois que…	l'histoire est intéressante.	l'actrice est mauvaise.
C'est + adjectif !	C'est bien ! C'est super ! C'est intéressant ! C'est beau !	C'est nul ! C'est moche ! C'est laid !
Quel + nom !	Quel film ! Quelle actrice !	
Verbes de sentiments : aimer, apprécier, adorer, détester…	J'ai adoré ce film. Ça me plaît Ce film m'a plu.	Je déteste. Ça ne me plaît pas.

Grammaire

> Les pronoms COD : le, la, l', les

· Pour remplacer un mot au masculin singulier, on utilise **le** :
Tu connais Jules ?
Oui, je **le** *connais*

· Pour remplacer un mot au féminin singulier, on utilise **la** :
Tu vois Margaux ce soir ?
Non, je ne **la** *vois pas.*

⚠ Devant une voyelle, le/la deviennent **l'** :
Non, je ne **l'**ai *pas vu.*

· Pour remplacer un mot au pluriel, on utilise **les** :
Mes parents sont à Paris. Je **les** *retrouve au restaurant.*

· **Le**, **la**, **l'**, **les** se placent avant le verbe.
⚠ avec le futur proche :
Je vais **les** *visiter.*
Tu vas **la** *voir.*

> Croire au présent de l'indicatif

- Je crois   - Nous croyons
- Tu crois   - Vous croyez
- Il/elle/on croit   - Ils/elles croient

⇨ *Voir Cahier d'entraînement* **U 8**

MINUTES SON

Écoutez les titres de films et dites si vous entendez le son [œ].

La Guerre du feu - Attrape-moi si tu peux - Danse avec les loups - Le Grand bleu - Les Petits Mouchoirs - Ne le dis à personne - Un heureux événement - Les Émotifs anonymes

Tâche finale

Imaginez que vous organisez une soirée pour votre pendaison de crémaillère : comme c'est la coutume en France, vous invitez tous vos amis parce que vous avez déménagé. Pour cette fête, vous invitez un groupe de musique dans votre appartement.

Nous avons déménagé !
Nous vous invitons à notre pendaison de crémaillère le 31 juillet 2012.
Venez avec une bouteille et nous vous offrons le repas
et surtout... la MUSIQUE !

Victoria, Cyril et leurs enfants.
Réponse souhaitée avant le 1er juillet, merci.

a. Vous choisissez un groupe de musique et vous expliquez votre choix (le style de musique, le nombre de musiciens...).

b. Vous créez un carton d'invitation : vous donnez l'adresse, l'heure du rendez-vous et le thème de la soirée.

TACTIQUES

Pour répondre à une proposition :

J'accepte	J'hésite	Je refuse
D'accord	Je ne sais pas	Non merci
Super !	Je vais voir	Désolé
Avec plaisir !	Peut-être	Je regrette

Préparation au DELF

COMPRÉHENSION DES ÉCRITS

1 **Lisez le document et répondez aux questions**

a. Qu'est-ce que ce document présente ?

b. À quelle heure commence le programme de la soirée ?

c. Associez un programme pour chaque personne : ils vont regarder quelle chaîne ?

- Paul adore le sport.

- Léa peut regarder la télévision mais elle doit se coucher tôt ; elle va à l'école demain.

- Julie aime beaucoup l'histoire de la mode.

À LA TÉLÉ

TF1	FRANCE 2	FRANCE 3	CANAL+	ARTE	M6
20 h 50 **Coco avant Chanel** film (2 h 05)	20 h 35 **Chez Maupassant** série française (60 mn)	20 h 05 **Plus belle la vie !** série française (25 mn)	20 h 45 **Au temps des Pharaons** documentaire historique (1 h 45)	20 h 30 **Foot OM - PSG** sport (90 mn)	20 h 45 **Capital** magazine (2 h).

PRODUCTION ÉCRITE

2 **Vous répondez à ce message : vous félicitez, vous refusez et vous dites pourquoi.**

De : dannat@free.fr
Date : 29/05/2012 17:12
À : arobase2009@courriel.com
Objet : anniversaire de mariage !

Venez fêter avec nous nos 10 ans de bonheur !
Nous vous attendons le 25 juin à 20h à l'Auberge du Lac, rue des berges à Annecy.
Merci de confirmer votre présence avant le 5 juin.

Dan et Nathalie

ET PLUS ...

1. LA MUSIQUE AU CŒUR DE LA VIE DES FRANÇAIS

La télévision	64 %
La lecture	54 %
La musique	47 %
Le cinéma	42 %
Théâtre, danse	17 %
Les jeux vidéo	14 %
Les musées, les expositions	12 %
Aucune de ces activités	3 %

Issu d'un sondage Sacem/Midem

Source : étude Sacem, Midem, janvier 2011.

- La musique est l'activité culturelle favorite des 15-24 ans devant le cinéma et la télévision.
- Pour 25 % d'entre eux, la musique est une « passion ».
- Le temps d'écoute moyen est de 1h30 par jour.
- Le RnB est leur genre favori (45 %), suivi de la Pop et du Rock (42 %) puis du Rap (38 %), des musiques électroniques et techno (28 %) et de la chanson française (26 %).

2. DES ŒUVRES ÉTONNANTES !

Vous connaissez *La Joconde* de Léonard de Vinci, peinte entre 1503 et 1506. D'autres artistes, comme Fernand Léger, Salvador Dali ou Andy Warhol ont "joué" avec ce célèbre tableau.

> Et vous, quelle est votre activité culturelle favorite : le cinéma, la télévision, la musique ou une autre ?
> Quel est votre style de musique préféré ?

Salvador Dali, 1954

Andy Warhol, 1963

> Est-ce que ces tableaux vous plaisent ?
> Est-ce que vous pensez que ces tableaux sont des œuvres d'art ?
> Vous connaissez d'autres œuvres étonnantes ?

CARNET PRATIQUE

> **Pour découvrir la vie d'artistes français au cinéma :**
Le chanteur Serge Gainsbourg, *Gainsbourg, vie héroïque*, Joann Sfar.
La styliste Coco Chanel, *Coco avant Chanel*, Anne Fontaine
Les écrivains Sartre et Beauvoir, *Les Amants du Flore*, Ilian Duran Cohen.

> **Pour découvrir des musiciens français et internationaux :**
un site Internet "la Blogothèque" pour écouter de la musique Rock et de la Pop et regarder des concerts dans des endroits étonnants.

> **Pour découvrir les programmes des expositions et des spectacles parisiens :**
L'Officiel des spectacles, Pariscope, Télérama et toutes les pages Culture des grands journaux quotidiens.

Enfin les vacances !

Objectifs

Faire une réservation
Parler de la santé
Raconter des événements

trajet satisfaction ENREGISTREMENT
SANTÉ hebergement
BILLET
SÉJOUR PHARMACIE
aller-retour VALISE

À moi, les vacances...

PARCOURS et AVENTURES

Guadeloupe

Séjour Émeraude

durée : 8 jours / 7 nuits

Ville : Pointe-Noire, sur l'île de Basse-Terre

Hébergement : Hôtel « le Ti Paradis » en pension complète, chambre simple ou double

Circuit Aventure

durée : 8 jours / 7 nuits

Villes : Pointe-à-Pitre, Sainte-Rose, Vieux-Habitants, Trois-Rivières (transferts inclus)

Hébergement : hôtel, gîte et camping en demi-pension

A

REPÉRER

1. Lisez le document A.

Où est-ce qu'on peut trouver ce type de document ? Qu'est-ce qu'il présente ?

2. Écoutez le dialogue et observez le document A. Aidez-vous de la vidéo !
a. Où se passe la scène ?   b. Comment s'appelle le client ?   c. Qu'est-ce qu'il fait ?

COMPRENDRE

3. Lisez à nouveau le document A et réécoutez le dialogue.
a. Repérez sur le document A les informations données sur les voyages.
b. Écoutez le dialogue : sur quels éléments le client demande des précisions ?
Retrouvez ses questions.
c. Le client va faire quel voyage ? Justifiez votre réponse à l'aide des phrases du dialogue.
d. Vous préférez le Séjour Émeraude ou le Circuit Aventure ?

4. Écoutez la fin du dialogue.
Vrai, faux ou on ne sait pas ?
- Le client va partir le 5 février.   - Il voyage seul.   - Il achète un billet aller-retour.
- Le vol est direct jusqu'à Pointe-à-Pitre.   - L'enregistrement est à 6 h 40.

PRATIQUER

5. Vol 750
Complétez cet e-mail avec les mots suivants : vol, aller-retour, enregistrement, retour, bagages, arrivée.
Ça y est ! J'ai nos billets d'avion. J'ai bien vérifié : 4 billets ... pour New York ! Départ le 9 septembre à 13 h 45, et ... à 20 h 05. Nous devons être à l'aéroport à midi pour l'... . Le ... dure environ 6 heures. Pour le ..., nous arrivons à Paris très tard le soir, je vais demander à Romain de venir nous chercher. Préparez bien vos ..., mais attention, ils ne doivent pas faire plus de 23 kilos ! À plus !

Découvrir

6. Un aller-retour

À partir des réponses suivantes, trouvez les questions posées par l'employé de l'agence de voyage.

→ Réponse : *Nous partons le 1er mai.*

➡ Question : *Quand est-ce que vous partez ?*

1. ... ? – Je voudrais un billet pour Dakar, s'il vous plaît.
2. ... ? – Le départ est le 30 octobre, pour la Toussaint.
3. ... ? – Je reviens le 9 novembre.
4. ... ? – Oh, je préfère voyager de nuit.
5. ... ? – Je voyage seul, je rejoins des amis sur place.

7. Et vous, comment vous aimez voyager ?

Répondez personnellement aux questions puis discutez avec votre voisin pour échanger sur vos préférences. Justifiez vos réponses.

→ *Moi, je préfère partir à la montagne parce que je n'aime pas nager.*

Vous préférez...
1. Voyager à l'étranger ou voyager dans votre pays ?
2. Aller à la mer, à la montagne, ou en ville ?
3. Dormir à l'hôtel, au camping ou à l'auberge de jeunesse ?
4. Choisir un séjour ou un circuit ?
5. Un voyage organisé ou organiser seul vos activités ?

À VOUS !

8. Venez au « Ti Paradis » !

Vous allez à l'agence de voyage pour réserver un séjour pour deux personnes à l'hôtel le « Ti Paradis ».
Vous demandez des renseignements sur cet hôtel.
Puis, vous choisissez la période, le nombre de nuits et vous réservez.

MINUTES SON

Écoutez : vous entendez [ʃ] ou [ʒ] ? Répétez les mots. Cherchez ensuite tous les mots de cette page qui contiennent ces sons.

	[ʃ]	[ʒ]
→ *nous voyageons*		√

FAIRE UNE RÉSERVATION

Vocabulaire

> **Le trajet, le transport**
- Un billet de train / d'avion
- Un aller simple / un aller-retour
- Le départ / l'arrivée
- Un passager
- Les bagages
- L'enregistrement
- Le vol

> **L'hébergement**
- Un hôtel
- Un gîte
- Une auberge de jeunesse
- Un camping, une tente
- Demi-pension, pension complète
- Tout compris
- Une chambre simple, une chambre double
- Une chambre avec douche, avec salle de bains
- Une chambre avec télévision, avec accès internet

Communication

> **Réserver un billet de train ou d'avion**
- Je voudrais un billet pour + destination
  + nombre de personnes
  + date
Je voudrais un billet pour Marseille, pour trois personnes, pour le 23 janvier.
Est-ce qu'il y a des places disponibles pour le train de 11 heures ?

> **Réserver un hébergement**
- Je voudrais réserver une chambre pour
  + nombre de personnes + date
Je voudrais réserver une chambre pour le 24 mai.
Il y a des chambres pour le 24 mai ?
Il reste des chambres pour le 24 mai ?

> **S'informer sur l'hébergement**
- Où se trouve
  + l'hôtel / le camping / l'auberge... ?
- Est-ce qu'il y a
  + une piscine / la climatisation /
  un accès Internet... ?

➡ *Voir Cahier d'entraînement U 9*

Aïe, aïe, aïe !

REPÉRER

1. Observez la photo puis écoutez le dialogue.

a. Décrivez la photo : quel est le problème ?

b. Écoutez le dialogue. Où se passe la scène ?

c. Quelle est la relation avec la photo ?

COMPRENDRE

2. Écoutez à nouveau le dialogue.

a. Quels sont les problèmes de M. Brossier ?
Où est-ce qu'il a mal ?

b. Vrai ou faux ? Justifiez avec des phrases
du dialogue.

- M. Brossier est arrivé récemment à la
Guadeloupe.
- M. Brossier a bu de l'eau juste avant son rendez-
vous chez le médecin.
- M. Brossier a annulé sa réservation au
restaurant.

c. Relevez la structure utilisée pour parler au
passé. Quelle est la différence avec le passé
composé ?

3. Lisez le texte du document B.

a. Lisez les conseils du guide de voyage. Est-ce
que ces conseils concernent l'alimentation, la
santé, les transports ou l'hébergement ?

b. Associez le dialogue du document A à une
rubrique. Quels conseils M. Brossier n'a pas
suivis ? Justifiez.

PRATIQUER

4. J'ai mal !

Complétez les phrases avec une partie du corps.
Le ventre – les yeux – les jambes – le dos – les
bras – les pieds

→ *Il a trop mangé à midi, il a ... ➙ mal au ventre !*

a. J'ai couru 12 kilomètres hier, j'ai...

b. J'ai aidé un ami à déménager, j'ai...

c. J'ai marché toute la journée avec mes
chaussures neuves, j'ai...

d. Tu as mangé tous les bonbons ? Tu vas avoir...

e. J'ai fait du tennis pendant 3 heures, j'ai...

f. Il y a trop de soleil et je n'ai pas mes lunettes
de soleil, j'ai...

A

PETITS CONSEILS
AUX VOYAGEURS

D'une manière générale, ne vous inquiétez
pas ! La Guadeloupe est un département
français : le système médical est le même,
et les hôpitaux sont très bons.
Mais il faut faire attention à certaines
choses :
Le soleil est très chaud sous les Tropiques !
Protégez-vous : portez un chapeau, mettez
de la crème solaire régulièrement et buvez
beaucoup d'eau.

À la plage, faites attention : il y a peu de
plages surveillées en Guadeloupe.

Il y a beaucoup de moustiques dans les
îles. Il est conseillé de dormir sous une
moustiquaire et d'utiliser des produits anti-
moustique.

Il existe un arbre toxique, le mancenillier :
ne mangez pas ses fruits ! En général, le
tronc est peint en rouge pour prévenir les
touristes.

Ayez vos vaccins à jour et tout ira bien !

B

Exprimer

5. Ça vient d'arriver !

Transformez les phrases au passé récent.

→ *Il est sorti pour déjeuner.* ➡ *Il vient de sortir pour déjeuner.*

a. J'ai fini de préparer mes bagages.

b. Nous avons acheté une maison.

c. Tu es arrivé à Amsterdam.

d. Vous avez commencé un nouveau travail ?

e. Élodie et Karim ont eu un bébé.

f. Elle a obtenu son diplôme de pharmacienne.

6. Quel est votre problème ?

Associez les phrases aux objets proposés.

→ *Il a mal à la tête* ➡ *il achète une boîte d'aspirine.*

1. J'ai un coup de soleil.	a. un pansement
2. Il a mal à la gorge.	b. un spray anti-moustique
3. Elle s'est coupé la main.	c. du sirop pour la gorge
4. Elle tousse beaucoup.	d. des pastilles pour la gorge
5. Je pars en voyage dans un pays chaud.	e. un tube de crème après-soleil

7. Conseils aux voyageurs

Vous écrivez la rubrique « Conseils aux voyageurs » pour le guide touristique de votre pays. Rédigez 5 conseils.

À VOUS !

8. À la pharmacie…

À jouer 2 par 2 : vous êtes en voyage dans un pays francophone et vous avez un petit problème (coup de soleil, piqûre de moustique, etc.). Vous allez à la pharmacie et vous expliquez votre problème, vos douleurs, vous racontez ce qui s'est passé. Le pharmacien vous propose quelque chose pour vous soigner.

MINUTES SON

Écoutez : vous entendez [f] **ou** [v] **?**

Répétez les mots. Cherchez ensuite tous les mots de cette page qui contiennent ces sons.

	[f]	[v]
→ *le voyage*		√

PARLER DE LA SANTÉ

Grammaire

> **Le passé récent**

Pour parler d'un fait passé peu de temps avant, on utilise VENIR au présent + DE + Infinitif du verbe

Nous venons d'arriver en Guadeloupe.

Communication

> **Interroger sur la santé**

Ça ne va pas ? Il y a un problème ?

> **Exprimer la douleur**

• Avoir mal à + partie du corps

Il a mal au ventre, à la tête, aux pieds.

• Avoir de la fièvre / Ne pas se sentir bien.

Il a de la fièvre, il ne se sent pas bien.

> **Exprimer une sensation**

• Avoir chaud ≠ avoir froid

• Avoir faim, avoir soif

Vocabulaire

> **Le corps humain**

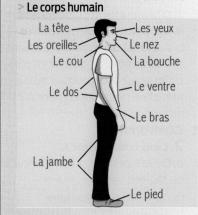

> **Les petits problèmes de santé**

- un coup de soleil / de chaleur
- une piqûre de moustique
- un rhume
- tousser

> **Se soigner**

Utiliser :

- de la crème ;
- un médicament, du sirop pour la gorge, un comprimé ;
- un pansement ;
- un spray anti-moustique.

➡ *Voir Cahier d'entraînement* **U 9**

Carnet de voyage

Une semaine d'été en hiver : mon voyage en Guadeloupe

Mardi : Ouf, ça va mieux ! Hier j'ai été malade toute la soirée, c'était horrible. Nous sommes restés à la plage très longtemps et il faisait vraiment trop chaud. Mais aujourd'hui ça va, et nous avons passé une journée formidable. Nous avons marché dans la forêt et sur la côte : quels paysages !

Jeudi : Hier nous avons fait du kayak. C'était fatigant, mais je suis content parce c'est une manière différente de voir l'île. Il faisait encore très chaud, mais j'ai compris la leçon : maintenant je fais bien attention et je bois beaucoup d'eau ! Alors je n'ai pas eu de problème !

Ce matin, on a voulu visiter une plantation de café mais c'était fermé, alors nous sommes allés voir un site de production de vanille. Il y avait beaucoup d'explications, c'est difficile, la production de vanille ! C'était très intéressant.

Samedi : Nous avons pris le bateau pour une excursion en mer, hier, pour voir des baleines et des dauphins. Il y avait beaucoup de vent, mais c'était génial, il y avait des dauphins partout autour de nous, et ils sont venus juste à côté ! Mais nous n'avons pas vu de baleines, dommage !

Je suis triste parce que le voyage finit demain ...

A

REPÉRER

1. **Observez les documents A et B.**

a. Document A : est-ce que c'est un document touristique ?

b. À quoi correspond chaque paragraphe ?

c. Lisez le titre : ce document parle de quoi ?

d. Observez la couverture du livre de Titouan Lamazou : quel est le lien avec le document A ? Vous connaissez cet auteur ?

COMPRENDRE

2. **Lisez le document A.**

a. Qu'est-ce qu'ils ont fait ? Pour chaque journée, réalisez un tableau comme celui-ci :

	Événement	Commentaire
Lundi	→ Il a été malade.	C'était horrible.

b. Pour décrire une situation au présent, vous connaissez « il y a », « c'est ».

Pour parler du temps qu'il fait, vous connaissez « il fait... ».

Observez les commentaires et retrouvez les formes pour décrire une situation au passé.

3. **Relisez attentivement le document A et répondez aux questions.**

a. Est-ce que M. Brossier est satisfait de son voyage ? Il exprime d'autres sentiments ?

b. Qu'est-ce qu'ils ont voulu faire jeudi matin ? Est-ce qu'ils ont pu ? Pourquoi ? Relevez la phrase.

Dans cette phrase, quel mot montre une opposition entre les actions ?

Observez les autres oppositions présentes dans le texte.

c. Qu'est-ce qu'ils ont fait finalement ? Quel mot introduit une conséquence ?

B

17 % des Français partent en vacances en camping ou en caravane.   17 %

Échanger

PRATIQUER

4. Au Canada...

Complétez le texte avec « c'était », « il y avait » ou « il faisait ».

> Salut Louna,
> Je suis en vacances au Canada, et c'est super !
> Mardi, j'ai fait une excursion en traîneau à chien :
> ... magnifique. ... très froid. Le soir, nous avons
> dîné dans une maison amérindienne typique : ...
> beaucoup d'objets traditionnels, ... très intéressant.
> Hier, nous avons fait une journée de moto-neige,
> ... un peu fatigant, mais j'ai adoré ! ... des lacs
> immenses, ... vraiment splendide. J'ai pris plus de
> cent photos !
> Je rentre la semaine prochaine, bises,
> Myriam

5. Exprimez-vous !

Associez une phrase et une expression.

a. C'est super !
b. Quel dommage !
c. Vraiment ?
d. Ouf !
e. J'ai été très triste.
f. Quel paysage !

1. On a annulé notre vol.
2. Tu pars encore en vacances ?
3. J'ai adoré le désert !
4. J'ai réussi ce parcours sportif !
5. Tu ne peux pas venir avec nous.
6. J'ai retrouvé mon passeport !

6. Quelle tête tu fais !

Associez les sentiments et les smileys : la surprise, la tristesse, la satisfaction, la déception, le soulagement.

À VOUS !

7. Souvenirs de voyage

- Cherchez dans vos souvenirs de voyage trois événements marquants. Racontez-les par écrit en quelques lignes : précisez ce qu'il y avait et comment c'était.
- Vous racontez ces événements à votre partenaire.
- Vous écoutez ensuite le récit de votre partenaire et vous réagissez, vous donnez vos sentiments.

RACONTER DES ÉVÉNEMENTS

Communication

> **Exprimer des sentiments**

- La satisfaction, la joie
C'est + adjectif : bien/super/génial
Les vacances, c'est super !
Être + adjectif : content/heureux
Nous sommes arrivés, je suis content !

- La tristesse
Je suis triste parce que les vacances sont finies.
Les vacances sont finies, c'est triste !

Certains mots seuls, mais avec l'intonation correspondante, expriment aussi des sentiments :

- La surprise
Ah ! Quoi ? Pardon ? Comment ? Vraiment ?
Quoi ? Tu ne connais pas la Guadeloupe ?

- La déception
Dommage !
Quel dommage !
Nous n'avons pas vu de baleines, dommage !
Quel dommage !

- Le soulagement
Ouf !
J'ai été malade, mais ouf, ça va mieux !

Grammaire

> **L'imparfait : c'était / il y avait / il faisait**

- Pour faire un commentaire sur un événement au passé : **c'était**

- Pour donner un sentiment, une opinion, ou décrire une situation : **c'était**
Le kayak, **c'était** *génial.*

- Pour expliquer ce qu'on voit, ce qu'il y a :
il y avait
Il y avait des dauphins partout.

- Pour donner des informations sur la météo :
il faisait
À la plage, il faisait très chaud.

MINUTES SON

L'intonation des sentiments
Écoutez et dites quel sentiment est exprimé puis répétez en imitant la surprise, la tristesse, la satisfaction, la déception, le soulagement.

→ *Voir Cahier d'entraînement* **U 9**

Action!   **Tâche finale**

Vous préparez un voyage. Vous choisissez une destination et expliquez votre choix.

a. Vous vous informez sur les hébergements. Vous vous renseignez aussi sur le trajet pour y aller et sur les transports pour vous déplacer sur place.

b. Vous étudiez les « conseils aux voyageurs » et les conseils « santé ».

c. Vous présentez votre projet à la classe.

Malaisie

La Malaisie oppose nature galopante et villes ultra-modernes. Cela donne des paysages sidérants. Vous apprécierez aussi la gentillesse d'une population très accueillante.

Afrique du Sud

Envie de vivre une expérience unique, de voir l'Afrique du Sud pour découvrir les animaux de la savane africaine ? Le parc Kruger est la destination qu'il vous faut ! Vous pouvez y rencontrer les fameux "Big five" (buffles, éléphants, léopards, lions et rhinocéros) dans un paysage incroyable !

Barcelone

Capitale de la Catalogne, Barcelone est une ville unique. Entre plage, vie nocturne et activités culturelles, Barcelone a de quoi séduire les visiteurs du monde entier. Et parmi son riche patrimoine, il y a, bien évidemment, les créations d'Antoni Gaudí !

TACTIQUES

Comprendre des documents : il n'est pas toujours nécessaire de tout comprendre dans un texte.

Vous pouvez utiliser le contexte : le type de document, le titre, les photographies ou illustrations, la personne à qui il s'adresse (destinataire). Vous pouvez deviner quelles informations vous allez trouver.

Vous pouvez relever les mots que vous comprenez : il y a beaucoup de mots que vous ne comprenez pas, mais aussi beaucoup de mots que vous comprenez.

Ici, même si vous ne connaissez pas tous les mots, vous avez suffisamment d'informations pour choisir votre destination et imaginer les activités possibles.

Préparation au DELF

COMPRÉHENSION DE L'ORAL

1 Vous allez entendre 2 fois le document. Vous aurez 30 secondes de pause entre les 2 écoutes, puis 30 secondes pour vérifier vos réponses. Lisez d'abord les questions.

1. Où va cet avion ? ....

2. Le numéro du vol est :
☐ 8566
☐ 8766
☐ 8776

3. L'embarquement a lieu :
☐ porte B
☐ porte D
☐ porte C

COMPRÉHENSION DES ÉCRITS

2 Voici une réservation pour un voyage en train. Répondez aux questions.

1. Ceci est un billet pour un trajet :
☐ aller,
☐ aller-retour,
☐ on ne sait pas.

2. Combien de personnes voyagent ?

3. Quelle est la destination du voyage ?

4. Est-ce que les personnes peuvent modifier ou annuler ce voyage ?

```
▬▬▬▬  BILLET à composter avant l'accès au train
      POITIERS ➡ LIMOGES              Jean-Luc CHALBOT/
                                      Damien CHALBOT

      Départ : POITIERS               Aller simple
      Arrivée : LIMOGES

      TGV 6900                        VOITURE 02
      Classe 1                        PLACES 1, 3

      Prix : 86 euros                 Prix EUR   **86.00
      Billet non remboursable
```

EXPRESSION ÉCRITE

3 Vous rentrez de vacances. Vous avez passé une semaine au Portugal. Vous envoyez un mail à un(e) ami(e) pour lui dire que vous êtes de retour et pour lui raconter votre séjour : ce que vous avez fait, le temps qu'il faisait, vos impressions. Aidez-vous des photos ci-contre.

À Porto, le pont Louis Ier (Gustave Eiffel)

À Lisbonne, le quartier de l'Alfama

Le tramway à Lisbonne

Le Douro, les vignobles de Porto

ET PLUS ...

1. L'OUTRE-MER

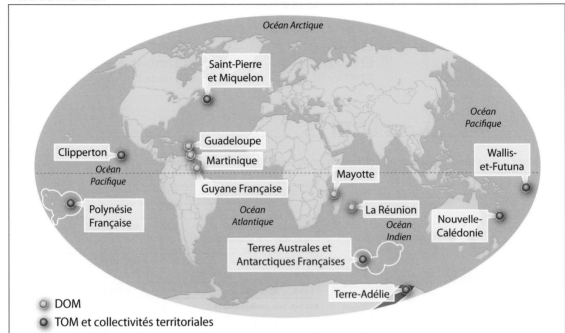

Océan Arctique

Saint-Pierre et Miquelon

Océan Pacifique

Clipperton

Océan Pacifique

Guadeloupe

Martinique

Mayotte

Wallis-et-Futuna

Guyane Française

Océan Atlantique

La Réunion

Océan Indien

Nouvelle-Calédonie

Polynésie Française

Terres Australes et Antarctiques Françaises

Terre-Adélie

🔘 DOM

🔘 TOM et collectivités territoriales

Savez-vous que la France partage une frontière commune avec le Brésil ? Connaissez-vous une île qui est moitié française, moitié néerlandaise et où tout le monde parle anglais ?

La France a des régions ou des départements situés loin de ce qu'on appelle la Métropole. Ce sont des souvenirs des anciennes colonies, mais ils font partie de la République Française.

Dans les DROM*, la population est évaluée à plus de 2 000 000 d'habitants.

> Regardez la carte et dites dans quels mers ou océans il y a des DROM.
> Est-ce que vous connaissez d'autres pays qui ont des territoires séparés de leur métropole ?

2. LES DESTINATIONS PRÉFÉRÉES DES FRANÇAIS

France	58 %
Espagne	7 %
Italie	5 %
Caraïbes	4 %
Grèce	3 %
Portugal	2 %
Thaïlande	1,82 %
Turquie	1,79 %
Allemagne	1,30 %
États-Unis	1,22 %

> Regardez ce tableau des 10 destinations préférées des Français pour les vacances.

> Est-ce que vous êtes surpris par ce classement ? Pourquoi ?

> Cherchez des informations sur les destinations des habitants de votre pays : ce sont les mêmes ?

CARNET PRATIQUE

* Quelques définitions :
Tom : territoire d'Outre-mer.
Dom-tom : département et territoire d'Outre-mer.
Drom : département et région d'Outre-mer.
Pom : pays d'Outre-mer.

Pour préparer un voyage en France :
> **Des sites :** France-Voyage.com, et Outre-mer.gouv.fr, le site officiel.
> **Des guides :** tous les guides du Routard et Guides Verts.
> **Lectures :** *Cinq semaines en ballon* et *Vingt mille lieues sous les mers*, Jules Verne, en français facile niveau 1.
Les Carnets de voyage de Titouan Lamazou, livre de croquis et de photographies.

Travailler autrement...

Objectifs

Communiquer au travail
Parler de son entreprise
Savoir argumenter

réunion entreprise CONNEXION

TÉLÉTRAVAIL collègue

CONTACT

RÉSEAU MOT DE PASSE

ordinateur comité d'entreprise

Vous avez un message !

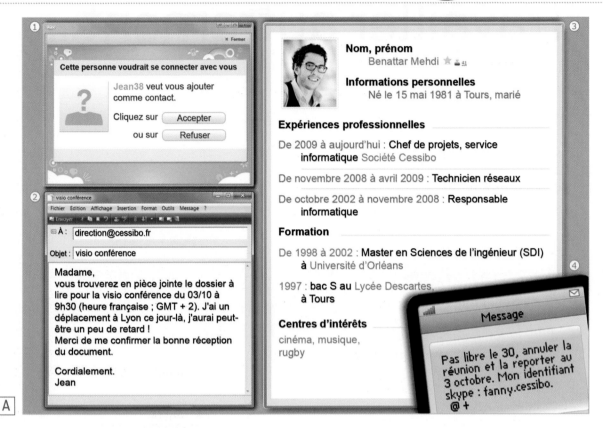

Cette personne voudrait se connecter avec vous

Jean38 veut vous ajouter comme contact.

Cliquez sur **Accepter**
ou sur **Refuser**

---

visio conférence
Fichier Edition Affichage Insertion Format Outils Message ?

Envoyer

À : direction@cessibo.fr

Objet : visio conférence

Madame,
vous trouverez en pièce jointe le dossier à lire pour la visio conférence du 03/10 à 9h30 (heure française ; GMT + 2). J'ai un déplacement à Lyon ce jour-là, j'aurai peut-être un peu de retard !
Merci de me confirmer la bonne réception du document.

Cordialement.
Jean

[A]

Nom, prénom
Benattar Mehdi

Informations personnelles
Né le 15 mai 1981 à Tours, marié

Expériences professionnelles

De 2009 à aujourd'hui : **Chef de projets, service informatique** Société Cessibo

De novembre 2008 à avril 2009 : **Technicien réseaux**

De octobre 2002 à novembre 2008 : **Responsable informatique**

Formation

De 1998 à 2002 : **Master en Sciences de l'ingénieur (SDI)** à Université d'Orléans

1997 : **bac S au** Lycée Descartes, à Tours

Centres d'intérêts
cinéma, musique, rugby

Message

Pas libre le 30, annuler la réunion et la reporter au 3 octobre. Mon identifiant skype : fanny.cessibo. @ +

REPÉRER

1. Document A : observez les différents textes.

a. De quels types de documents s'agit-il ?

b. Où est-ce qu'on trouve ces documents ?

2. Écoutez la conversation. Regardez aussi la vidéo !

a. Combien de personnes parlent ?

b. Que font ces personnes ?

c. Est-ce qu'elles sont dans le même bureau ?

COMPRENDRE

3. Document A : lisez chaque message.

a. Quelles utilisations d'Internet sont présentées dans ces documents :
- trouver du travail ;   - organiser une réunion à distance ;   - télécharger une vidéo ?
b. Retrouvez dans les documents la date de la réunion.
Quelle est la première date prévue pour la réunion ? Pourquoi la réunion n'a pas lieu à cette date ?
c. Lisez les messages 2 et 4 : quel est le message adressé à un directeur ? Justifiez votre réponse.

4. Écoutez encore une fois la conversation.

a. Ces personnes sont dans quels pays ?

b. Pourquoi Jean est en retard ?

c. Remettez les actions de Jean dans le bon ordre : brancher la webcam, allumer son ordinateur, garer sa voiture, se connecter au réseau.

Découvrir

PRATIQUER

5. Vous avez du réseau ?

Complétez le texte avec les mots : télécharger, connecté, mot de passe, connexion, identifiant, copier, cliquer.

→ *Pour lire ses mails, il faut être connecté à Internet.*

a. Pour entrer dans le programme, tapez votre ... et n'oubliez pas votre ... !

b. Pour ... la vidéo, il faut ... sur le lien ; vérifiez que vous avez une ... !

c. Pour ... cette image, tapez sur « ctrl C ».

6. Conversation téléphonique

Complétez cette conversation avec les mots : réunion, confirmation, annulé, rappeler, prochaine, message, transmets.

– Société Lepetit, bonjour !

– Bonjour, je voudrais parler à M. Moreau.

– C'est de la part de qui ?

– Madame Lopez, de la société Artos.

– Désolée, Madame, mais M. Moreau est en réunion. Vous pouvez le ... plus tard ?

– C'est urgent, je peux lui laisser un ... ?

– Oui, je vous écoute !

– Alors, le rendez-vous avec M. Lefèvre est ... . Il est reporté à la semaine ..., le mardi 17 à 14 heures.

– C'est noté, je ... à M. Moreau.

– Merci, j'attends sa ... . Bonne journée !

– À vous aussi, au revoir !

À VOUS !

7. Internet et vous

Échangez deux par deux sur votre utilisation d'Internet :

- chez vous ;
- et dans votre travail.

MINUTES SON

Le son $[g]$

Écoutez les phrases : combien de fois est-ce que vous entendez le son $[g]$?

→ *Tu veux **g**oûter ce **g**âteau ?* → *2 fois*

COMMUNIQUER AU TRAVAIL

Vocabulaire

> L'informatique

Écran   Casque

Clavier   Clé USB   Souris

- Connecter/déconnecter
- Envoyer/recevoir un mail
- Cliquer
- Télécharger une pièce jointe/un dossier
- Installer
- Copier/coller
- Supprimer
- Transférer
- Enregistrer un message
- Transmettre un message
- Brancher/débrancher la webcam
- Un identifiant
- Un mot de passe

Communication

> **Comprendre / prendre part à une conversation à distance**

- *Désolée, mais Monsieur X est absent, il n'est pas disponible. Vous voulez laisser un message ?*
- *Nous reportons la conférence à la semaine prochaine.*
- *Je vous rappelle plus tard.*
- *Ne quittez pas ! Je vous le (la) passe.*
- *Ma messagerie est pleine !*

→ *Voir Cahier d'entraînement* **U 10**

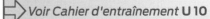

Heureux au travail ?

108

REPÉRER

1. Observez et lisez les documents A et B.
a. Quel est le sujet ?
b. Où travaillent ces personnes ?

2. Écoutez la conversation.
a. Qui sont ces personnes ?
b. De quoi elles parlent ?

COMPRENDRE

3. Document B : lisez les témoignages.
a. Est-ce que ces salariés sont satisfaits de leur travail ?
b. Quelles sont les actions du CE ? Donnez deux exemples.
c. Relevez la forme utilisée pour donner des précisions sur :
- le moment convivial ;
- les trois jours de congés ;
- les collègues ;
- la crèche.

4. Réécoutez la conversation.
a. Quelle est la spécialité de Franck Malet ?
b. Est-ce qu'il a toujours travaillé en France ?
c. Remettez son parcours dans l'ordre chronologique ; faites des phrases au passé composé.
Attention, il y a une erreur !

- séjour au Mexique
- diplôme d'une grande école de Commerce
- arrivée à Cessibo
- stage dans une entreprise
- poste de commercial à Auprès

d. Quel est le parcours de son collègue ? Relisez le CV page 106 : trouvez les erreurs et corrigez avec la bonne information.

5. Réécoutez bien la conversation.
a. Quel est le mot utilisé pour donner une durée qui est terminée ?
b. Quel est le mot utilisé pour donner une durée qui continue dans le présent ?

Le CE, qu'est-ce que c'est ?

Depuis 1945, le Comité d'Entreprise est obligatoire dans les entreprises de plus de 50 salariés. Il est composé de salariés qui représentent le personnel et négocient pour améliorer les conditions de travail.
Chaque mois, ils votent pour des actions culturelles et sociales comme, par exemple, les chèques-vacances, l'organisation de la fête de Noël et le calendrier de formations.

[A]

DES SALARIÉS HEUREUX !
Les valeurs de notre entreprise :
un CE dynamique

Nos collaborateurs témoignent :

Nathalie, Expert-comptable, 32 ans.

"J'aime mon travail. L'ambiance est détendue. Les collègues qui partagent mon bureau sont vraiment sympathiques. Chaque mois, le CE organise un repas dans la cafétéria. C'est un moment convivial et agréable que nous apprécions tous."

Hervé, Directeur des ressources humaines, 46 ans.

"Nous voulons améliorer les conditions de travail de nos collaborateurs. Chaque salarié a trois jours de congés supplémentaires qu'il peut utiliser pour une cause citoyenne.
Le CE propose une formation en informatique pour aider les collègues qui ont des difficultés à utiliser les nouvelles technologies."

Adrien, Responsable commercial, 26 ans.

"Je suis un papa heureux ! À la naissance de Zoé, j'ai pris un congé de six mois et maintenant, elle vient avec moi au bureau ! Je la dépose tous les matins à la crèche de l'entreprise qui accueille les enfants de 7 h 30 à 20 h 30. C'est vraiment une chance !"

[B]

Exprimer

PRATIQUER

6. Au boulot !

Complétez ces définitions avec *que*, *qui* ou *qu'*.

→ *Le CE, c'est un comité qui existe dans toutes les entreprises de plus de 50 salariés.*

a) Le salaire, c'est l'argent ... chaque salarié reçoit à la fin du mois.

b) Un *open space*, c'est un bureau ... n'a pas de murs entre les bureaux.

c) La formation continue, c'est un droit ... chaque salarié peut utiliser tout au long de sa vie professionnelle.

d) Un stagiaire, c'est quelqu'un ... fait un stage pour apprendre un métier.

e) Le bac, c'est un diplôme ... on obtient à la fin du lycée.

7. Expériences

Choisissez entre *pendant* et *depuis*.

→ *Marie a travaillé à ce poste pendant 5 ans.*

a) J'ai étudié l'italien ... 2 ans mais j'ai arrêté.

b) Je travaille dans cette entreprise ... 6 mois.

c) ... 2003, mon frère vit en Australie. Je suis allée le voir ... les vacances de Noël.

d) Elle a rencontré des gens intéressants ... son stage.

e) Lola fait ses études à Londres ... septembre.

À VOUS !

8. Parler de son parcours

Par deux, à l'oral, vous donnez cinq dates importantes pour vous (études, travail, rencontres) et vous vous racontez votre parcours. Ensuite, chacun rédige un CV rapide pour associer les dates et les événements.

MINUTES SON 🎧

Le son [k]

Écoutez ces phrases : combien de fois est-ce que vous entendez le son [k] ?

→ **Combien d'étudiants est-ce *qu*'il y a dans la classe ?** → *3 fois*

PARLER DE SON ENTREPRISE

Grammaire

> **Les pronoms relatifs QUI/QUE.**
Qui et **que** servent à relier deux phrases pour éviter la répétition d'un même mot.

> **Le relatif QUI remplace le sujet de la phrase.**
⚠ **qui** peut remplacer une personne ou une chose.
Les collègues partagent mon bureau. Ils sont vraiment sympathiques.
*Les collègues **qui** partagent mon bureau sont vraiment sympathiques.*

> **Le relatif QUE remplace le complément direct de la phrase.**
⚠ devant une voyelle, **que** devient **qu'**.
C'est un moment agréable. Nous apprécions tous ce moment agréable.
*C'est un moment agréable **que** nous apprécions tous.*

> *Pendant/depuis pour exprimer une durée*
• *Depuis* + présent : pour exprimer une durée qui continue dans le présent.
*Je travaille ici **depuis** que je suis diplômé.*
*Je suis chef de projet **depuis** trois ans.*
• *Pendant* + passé composé : pour exprimer une durée qui est terminée.
*J'ai travaillé ici **pendant** 10 ans.*

Communication

> **Parler de son parcours professionnel**
Le passé composé permet de situer les événements dans le temps (dans un ordre chronologique).
J'ai postulé : j'ai envoyé mon CV et une lettre de motivation.
Le service commercial m'a embauché.

Vocabulaire

> **Les études**
- Réussir un examen
- Avoir/obtenir un diplôme, le Baccalauréat (bac.)
- Faire des études supérieures
- La formation initiale/la formation continue
- Avoir le niveau :
bac + 3 (la licence) ;
bac + 5 (le master).

→ *Voir Cahier d'entraînement* **U 10**

Vous êtes mobile ?

L'ATTRAIT DU TÉLÉTRAVAIL

Le télétravail se développe en France. Chaque année, il y a de plus en plus de Français qui décident de travailler chez eux.

Les raisons sont nombreuses : quitter la ville pour la campagne, passer plus de temps avec sa famille, etc.

Le profil des télétravailleurs ? Ils ont trente ans en moyenne, un enfant qui ne va pas encore à l'école et un métier qui permet de travailler à distance : cadre, journaliste, architecte, designer ou commercial.

A

REPÉRER

1. **Observez le document A.**

À votre avis, quel est le thème traité ici ?

2. Écoutez l'interview.

a. Qui parle ?

b. Quel est le sujet de l'interview ?

c. Où est-ce que Jeanne travaille ?

COMPRENDRE

3. Écoutez encore une fois l'interview.

a. Quelles professions permettent de travailler à la maison ? Donnez deux exemples.

b. Quel est le parcours professionnel de Jeanne ?

c. Qu'est-ce qui a changé dans sa vie ?

4. Réécoutez l'interview.

a. Selon Jeanne, quels sont les avantages et les inconvénients de ce changement ? Dites quels sont les adjectifs positifs ☺ et négatifs ☹, puis pour chaque adjectif, retrouvez ce que dit Jeanne.

→ autonome : ☺ → Jeanne : « Je me sens plus autonome. »

- stressée
- seule
- détendue
- mobile

b. Observez les paroles de Jeanne. Quels sont les mots qui permettent à Jeanne de comparer les deux modes de vie ?

En 2011, environ 10% des travailleurs sont des télétravailleurs.   En 201

Échanger

PRATIQUER

5. À Paris ou en province ?

Complétez ces phrases avec *plus* ou *moins*.

→ *En province, les salaires sont **moins** élevés, mais les loyers sont **moins** chers.*

a) Il y a ... de bruit à Paris. À la campagne, la vie est ... calme.

b) Les Parisiens sont ... stressés mais ils gagnent ... d'argent.

c) Les provinciaux ont une qualité de vie ... grande, mais ils ont ... d'endroits pour sortir.

6. Le travail en France

Complétez ce texte avec : *et, mais, ou, alors, donc.*

a) Je suis à temps partiel. Je travaille le lundi ou le mardi, ... je ne travaille pas les autres jours.

b) Il est au chômage ... il s'est inscrit à Pôle Emploi.

c) Quelle est la durée des congés payés en France ? 3 ... 5 semaines ?

d) Elle a travaillé pendant 40 ans ... elle va pouvoir prendre sa retraite l'année prochaine.

À VOUS !

7. Comparez !

LE TRAVAIL EN FRANCE EN 2012
Quelques chiffres

Temps de travail : 35 heures par semaine
Congés payés : 5 semaines par an
Jours fériés : 11
Âge minimum pour travailler : 16 ans
Âge de la retraite : 62 ans
Chômeurs : plus de 4 millions

Lisez ces informations puis comparez le travail en France et le travail dans votre pays. Utilisez « plus, moins, plus de, moins de ».

→ *En Angleterre, il y a **moins de** jours de congés payés...*

MINUTES SON

Les sons [k] **et** [g]
Écoutez et répétez.
→ *Cadeau / gâteau.*

---

iron 10% des travailleurs sont des télétravailleurs. En 2011, environ 10% d

Tâche finale

Vous faites partie du Comité d'Entreprise et vous organisez une réunion pour le plan d'action de l'année.

> **En grand groupe**, dites ce qui ne va pas dans votre entreprise. Quels sont les inconvénients de votre travail ?

> **Par petits groupes** : faites la liste de quatre projets destinés à améliorer le bien-être de vos collègues. Chaque groupe choisit un thème :
- les locaux, le bureau, la cafétéria ;
- les activités culturelles et sociales ;
- la formation continue.

> Ensemble, vous rédigez le plan d'action pour l'année : donnez deux initiatives par thème.

TACTIQUES

De façon générale, dans une élection, on vote pour ou contre une personne, un programme ou des idées. On a aussi le droit de s'abstenir (c'est-à-dire de ne pas voter). Voter, c'est dire « je suis pour » ou « je suis contre » ou « je m'abstiens ». On peut voter avec un bulletin (vote secret) ou à main levée.

Ici, avant de rédiger votre plan d'action, vous votez pour choisir la meilleure initiative, l'idée qui est un vrai avantage pour tous les salariés.

Préparation au DELF

COMPRÉHENSION DES ÉCRITS

1 **Lisez ce document et répondez aux questions.**

1. Ce document est :
☐ un article de journal
☐ une invitation
☐ une annonce pour un travail

2. Ce document s'adresse à :
☐ des salariés
☐ des professeurs
☐ des étudiants

3. Qu'est-ce que vous allez faire pendant cette journée ?

4. Quelle est la durée des études à Gestionfinance. com ?

5. Est-ce que cette école propose de partir à l'étranger ?

JOURNÉE
PORTES OUVERTES

Venez nous rencontrer
le mardi 15 mai 2012

Gestionfinance.com

Au cours de cette rencontre, vous allez pouvoir faire la connaissance du directeur, des professeurs et intervenants pour répondre à vos questions sur l'école, les programmes et votre orientation, rencontrer étudiants et les associations, envisager votre avenir professionnel avec les anciens élèves.

> 5 ans pour obtenir un diplôme d'une grande école de Commerce.
> Des formations aux métiers du commerce, du marketing, de la gestion et de la communication.
> Des stages et des programmes d'échanges avec toute l'Europe.

COMPRÉHENSION DE L'ORAL

2 **Écoutez et réalisez un tableau sur ce modèle.**

Prénom	Profession	durée	☺	☹

PRODUCTION ORALE

3 **L'entretien dirigé**

L'examinateur va évaluer votre capacité à vous présenter, à parler de vous. Il va donc vous poser quelques questions :

- Vous vous appelez comment ?
- Quel est votre métier ?
- Parlez-moi de vos études, etc.

4 **L'échange d'informations**

Vous posez des questions à l'examinateur à partir de ces mots-clés :
Études ?   Internet ?   Voyages ?

5 **Le dialogue simulé**

Avec un collègue, vous parlez de votre parcours universitaire et professionnel. Vous répondez aux questions de votre collègue. L'examinateur joue le rôle du collègue.

1. DÉCOUVRIR UN NOUVEAU MÉTIER

Un métier d'avenir : *Community manager*

Aujourd'hui, beaucoup de grandes entreprises recherchent des personnes qui vont assurer leur promotion et leur communication *via* les réseaux sociaux.

Le rôle du community manager ?
Parler de l'entreprise à travers les réseaux sociaux, créer une communauté, un groupe de personnes liées à l'entreprise, publier des messages sur le Web (blog, forum…), mettre en ligne des photos, des vidéos…

Son profil ?
Bac +4 ou bac +5 dans une école de journalisme ou de communication.

Ses qualités ?
Être créatif et passionné par les nouvelles technologies, être ouvert et curieux.

> Est-ce que vous connaissez cette profession ?

> À votre avis, quels sont les avantages et les inconvénients de ce métier ?

2. LA GUERRE DES POST-IT AU BUREAU

FINIE LA PAUSE-CAFÉ, VIVE LA PAUSE POST-IT !

Voilà un phénomène qui va développer l'esprit d'équipe ! C'est la mode de l'été 2011 pour tous les salariés en *open space* : la guerre des *post-it* a commencé …
Elle est née dans les bureaux de la société Ubi Soft à Montreuil (banlieue parisienne) : des employés ont décidé de décorer les fenêtres avec des *post-it* et de « construire » des héros du jeu « *space invader* ».
Les salariés de la société située en face ont répondu avec d'autres personnages en papier coloré et le concours s'est étendu à la Défense (quartier d'affaires à Paris) et à de grandes villes européennes.
Le bureau devient un terrain de jeu et les salariés deviennent des artistes en *Pixel Art* !

> Qu'est-ce que vous pensez de cette tendance ?

> Est-ce que vous connaissez d'autres formes de Pixel Art ?

> Et vous, avec vos collègues / avec les étudiants de la classe, quel personnage est-ce que vous voulez créer ?

CARNET PRATIQUE

> **L'ONISEP :** des conseillers, des guides, des magazines et un site Internet pour présenter les études et les formations et pour aider à choisir un métier.
> **Un film sur le monde parfois cruel du travail :** « *Ma part du gâteau* » (2010) de Cédric Klapisch avec Karine Viard et Gilles Lellouche.

Précis phonétique

DU SON À L'ÉCRITURE

on entend	on écrit	exemples
[i]	i – î – y – ï	venir – lycée
[y]	u – û	salut
[u]	ou – où – aoû	beaucoup – coût
[e]	é – ai – ei	café – étudier – et
[ø]	eu – oeu	jeudi
[o]	o – ô – au – eau	métro – cadeau
[ə]	e – ai – on	demain – le
[ɛ]	è – ê – ei – ai	très – seize – aime – est – restaurant – prêt
[œ]	eu – oeu – oe	heure – accueil
[ɔ]	o – oo – u	adore
[a]	a – à – e – â	amis – habiter – femme
[ɛ̃]	in – im – ain – aim – ein – yn – ym – un – um –en – (i)en	vin – pain
[ɑ̃]	an – am – en – em	enfant – jambon
[ɔ̃]	on – om	maison – blond
[t]	t – th	travail – éteins – cigarette
[d]	d	dîner – adolescent
[p]	p – b (+ s)	parent – stop – grippe
[b]	b	ballon – tomber
[k]	c – k – qu – ch	café – occasion – accueil – quand – kilo – ticket – taxi
[g]	g – gu	garçon – baguette – exemple – second
[f]	f – ph	enfant – affiche – photo
[v]	v – w	ville – wagon
[l]	l	la – allumer
[m]	m	madame – maman
[ʃ]	ch – sh – sch	architecte – short – schéma
[ʒ]	g – ge – j	jupe – genre – mangeons
[ɲ]	gn	montagne
[j]	i – y – i + l *ou* i + ll	vieux – yeux – travail – famille
[w]	ou – oi – w	oui – moi – sandwich
[ɥ]	u (+ i)	bruit

PRONONCIATION : LES VOYELLES

$[i]$ ex : joli		langue très en avant		bouche souriante, presque fermée
$[y]$ ex : salut		langue très en avant		bouche presque fermée, arrondie
$[e]$ ex : étude		langue en avant		bouche peu ouverte
$[\varepsilon]$ ex : faire		langue en avant		bouche ouverte
$[a]$ ex : la		langue en avant		bouche très ouverte
$[\partial]$ ex : le		langue en avant		bouche peu ouverte
$[\oe]$ ex : neuf		langue en avant		bouche ouverte, arrondie
$[\o]$ ex : bleu		langue très en avant		bouche un peu ouverte, arrondie
$[\mathfrak{o}]$ ex : pomme		langue un peu en arrière		bouche ouverte, arrondie
$[o]$ ex : mot		langue en arrière		bouche ouverte, très arrondie
$[u]$ ex : jour		langue très en arrière		bouche peu ouverte, très arrondie
$[\tilde{\varepsilon}]$ ex : vin		langue en avant		bouche ouverte, souriante
$[\tilde{\alpha}]$ ex : dans		langue un peu en arrière		bouche très ouverte, arrondie
$[\tilde{o}]$ ex : pont		langue en arrière		bouche peu ouverte, très arrondie

AUTOUR DU NOM

1. Le nom

a. Le genre : masculin ou féminin

En général, pour le féminin, on ajoute un **e** au masculin.

	Masculin	Féminin
Féminin = masculin + -e	un étudiant	une étudiant**e**
Féminin = masculin	un enfant	une enfant
Féminin ≠ masculin	un homme	une femm**e**

b. Le nombre : singulier ou pluriel

En général, pour le pluriel, on ajoute **s**.

Singulier	Pluriel
Un livre	Des livre**s**

Quelques exceptions :	Singulier	Pluriel
- eau → - eaux	un cadeau	des cadeaux
- eu → - eux	un jeu	des jeux
- al → - aux	un journal	des journaux
singulier = pluriel : noms singuliers terminés par −s ou par −x	un prix un cours	des prix des cours

c. Les noms propres

Les noms de personnes (prénoms, noms de famille), de villes et de pays sont des noms propres et prennent toujours une majuscule. → *Paris, la France, Valérie Dupont.*

2. Les pronoms personnels

Ils remplacent un nom (souvent une personne) et varient en genre et en nombre.

Dans la phrase, ils sont le sujet du verbe. → *Marie est italienne.* = *Elle est italienne.*

Je/J'	Nous
Tu	Vous
Il/elle/on	Ils/elles

⚠ **On** : On = je + tu / On = je + il/elle / On = nous → *On va au cinéma.*

3. Les pronoms toniques

Ils remplacent une personne et s'utilisent :

- après **c'est** → *– Qui est Tim ? – C'est **lui** !*
- après une préposition (à, chez, avec...) → *– Tu viens chez **moi** ce soir ?*
- dans une question quand il n'y a pas de verbe → *– J'habite à Paris. Et **toi** ?*
- pour renforcer le pronom sujet → *– **Moi, j'**habite à Francfort.*

	Pronoms personnels sujets	Pronoms toniques
Singulier	Je / J'	Moi
	Tu	Toi
	Il / Elle / On	Lui / Elle / Nous
Pluriel	Nous	Nous
	Vous	Vous
	Ils / Elles	Eux / Elles

4. Les articles

a. Les articles définis et indéfinis

On utilise les articles indéfinis quand on ne connaît pas quelque chose ou quand on parle de quelque chose pour la première fois.

→ – Qu'est-ce que c'est ?
– C'est **une** boîte.

On utilise les articles définis quand on connaît déjà la chose ou la personne, ou quand on a déjà parlé de cette chose ou de cette personne.

→ – C'est qui ?
– C'est un acteur français : **le** héros du film « Les Intouchables ».

Les articles définis		
Masculin	**Féminin**	**Pluriel**
le garçon	**la** fille	**les** garçons, **les** filles
l'étudiant	**l'**étudiante	**les** étudiants

Les articles indéfinis		
Masculin	**Féminin**	**Pluriel**
un garçon	**une** fille	**des** garçons, **des** filles
un étudiant	**une** étudiante	**des** étudiants

b. L'article partitif

Masculin	Féminin	Pluriel
du (du café) **de l'** (de l'ail)	**de la** (de la salade) **de l'** (de l'eau)	**des** légumes

En français, l'article partitif est utilisé pour parler d'une quantité qu'on ne peut pas compter ou qui n'est pas précisée.
→ Vous prenez **du** café ? (Un peu, pas tout.)
Il reste encore **de la** salade ? (Quantité restante non précisée.)

À la forme négative, **du**, **de la**, **des**, **de l'** deviennent **de**.
→Marc mange **du** chocolat. Paula ne mange pas **de** chocolat.
Elle prend **de la** salade. Il ne prend pas **de** salade.
Vous voulez **des** légumes ? Non, merci, je ne veux pas **de** légumes.

5. Les adjectifs possessifs

Masculin	Féminin	Pluriel
mon père	**ma** mère	**mes** parents
ton ordinateur	**ta** valise	**tes** chaussures
son frère	**sa** sœur	**ses** enfants

⚠ Attention au féminin, si le mot commence par une voyelle : ma / ta / sa → mon / ton / son → mon amie.

6. Les adjectifs démonstratifs

On utilise les démonstratifs quand on montre ou quand on désigne une chose ou une personne précises.

→ *Qu'est-ce que tu as fait, ce matin ?*
Comment va ce bras ?
Tu as vu cette fille ?

Règles d'emploi	Démonstratifs	Exemples
Devant un nom singulier masculin qui commence par une consonne	**ce**	**Ce** garçon est sympathique !
Devant un nom singulier masculin qui commence par une voyelle ou un « h » muet	**cet**	**Cet** enfant / **Cet** homme est sympathique !
Devant un nom singulier féminin	**cette**	**Cette** femme est intéressante !
Devant un nom pluriel	**ces**	**Ces** garçons sont sympathiques. **Ces** enfants sont sympathiques. **Ces** femmes sont adorables.

7. L'adjectif qualificatif : le genre et le nombre

Les adjectifs prennent le genre et le nombre du nom qu'ils qualifient.

Masculin	Féminin	
Il est grand. Il est petit. Il est absent. Il est espagnol. Il est mexicain.	Elle est grande. Elle est petite. Elle est absente. Elle est espagnole. Elle est mexicaine.	féminin = masculin + **e**
Il est nouveau. Il est beau. Il est gentil. Il est heureux. Il est actif. Il est neuf. Il est ancien. Il est coréen.	Elle est nouvelle. Elle est belle. Elle est gentille. Elle est heureuse. Elle est active. Elle est neuve. Elle est ancienne. Elle est coréenne.	féminin ≠ masculin
Il est moderne.	Elle est moderne.	féminin = masculin

8. Les pronoms compléments directs (COD) : le, la, l', les

Ils remplacent un mot ou un groupe de mots, une personne ou une chose.

→ *Je connais son frère ; je l'ai rencontré à son anniversaire.*
J'aime beaucoup ces chaussures mais je les donne à Marie !

	Masculin singulier		Féminin singulier		Pluriel
	+ consonne	+ voyelle / h	+consonne	+ voyelle / h	
Pronom complément direct	le	l'	la	l'	les

- Il ne faut pas les confondre avec les articles définis : ils s'utilisent seuls et se placent avant le verbe.

- Attention à leur place avec le futur proche :

→ *– Tu as déjà vu la Tour Eiffel ?*

– Non, mais je vais la visiter pour les vacances de Noël.

9. Le pronom Y

On utilise le pronom **Y** pour remplacer un complément de lieu.
Il est placé avant le verbe.
→ – *Tu vas **à Paris** ce week-end ?*
– *Oui, j'**y** vais avec mon ami Gilles.*

 À la forme négative, il est placé après « n' » :

→ *Non, je n'**y** vais pas.*

10. Les pronoms relatifs QUI et QUE

Ils servent à relier deux phrases et à éviter la répétition d'un même mot (ils remplacent une personne ou une chose).

- **Le relatif « qui »** remplace le sujet de la phrase.
→ *Je travaille dans une entreprise. **Cette entreprise** m'a embauché après mon stage.*
*Je travaille dans l'entreprise **qui** m'a embauché après mon stage.*

- **Le relatif « que »** remplace le complément d'objet direct de la phrase.
→ *J'ai fini mon stage. J'ai fait **ce stage** dans l'entreprise de mon oncle.*
*J'ai fini le stage **que** j'ai fait dans l'entreprise de mon oncle.*

 Devant une voyelle, « que » devient « qu' ».

→ *Elle a fini le stage **qu'**elle a fait chez mon oncle.*

AUTOUR DU VERBE (voir conjugaisons pages 126 à 129)

1. Le présent

Le présent s'emploie pour une action présente ou pour exprimer l'habitude.
→ *Il est 20 heures, je vais au cinéma.*
Tous les dimanches, je vais au cinéma.

La terminaison varie en fonction du sujet. Pour certains verbes, l'orthographe du verbe change entièrement.

2. L'impératif

En français on utilise l'impératif :
- pour donner un ordre → *Range ta chambre !*
- pour exprimer une interdiction → *Ne fumez pas !*
- et parfois aussi pour donner un conseil → *Goûte ce plat !*

L'impératif n'a que trois personnes et pas de prénom sujet :
- la deuxième personne du singulier → *danse*
- la première personne du pluriel → *dansons*
- la deuxième personne du pluriel → *dansez*

L'impératif se conjugue comme le présent de l'indicatif, mais à la 2e personne du singulier, on enlève le « s » pour les verbes en -er.
→ *Mange !*

 La forme négative

À la forme négative on ajoute **ne... pas** autour du verbe

→ ***Ne** pars **pas** ! N'oublie **pas** !*

3. Le futur proche
On utilise le futur proche pour :
- exprimer un événement ou une action qui se produit bientôt ;
- exprimer un projet, une intention.
On le forme avec le verbe **ALLER au présent + l'infinitif du verbe**.
→ – *Qu'est-ce que vous **allez faire** pour les vacances ?*
– *Nous **allons partir** à la Guadeloupe et nous **allons faire** de la plongée.*

4. Le passé récent
On l'utilise pour exprimer un événement ou une action qui vient de se terminer.
Le passé récent se forme avec : **VENIR au présent + de** (d' + voyelle) **+ l'infinitif du verbe.**
→ *Je **viens de manger**. Il **vient de partir** à la gare.*

5. Le passé composé
a. L'usage du passé composé
Pour raconter des faits passés, on peut utiliser le passé composé. Le passé composé se forme avec
AVOIR au présent et le **participe passé du verbe à conjuguer.**
→ *La semaine dernière, nous **avons déménagé**.*

Pour certains verbes (aller, venir, arriver, partir, entrer, sortir, monter, descendre, tomber, passer),
le passé composé se forme avec : **ÊTRE au présent + participe passé du verbe.**
→ *En mai dernier, il **est allé** au Festival de Cannes.*

> ⚠ **Avec l'auxiliaire « être », le participe passé s'accorde avec le sujet.**
>
> → *Hier, les étudiants sont sorti**s** en boîte de nuit ; la directrice y est allé**e** aussi !*

b. La formation du participe passé :
- Pour les verbes en −ER : participe passé en **−é** → *Elle a rang**é** sa chambre*

- Pour les verbes en −IR : participe passé en **−i** → *Nous avons fin**i** nos devoirs.*

> Il existe d'autres formes :
>
> | | |
> |---|---|
> | être : été | prendre : pris |
> | avoir : eu | mettre : mis |
> | faire : fait | lire : lu |

c. La négation du passé composé :
Ne et **pas** se placent autour de l'auxiliaire *avoir* ou *être*.
→ *Je **n'**ai **pas** vu le film « la Môme ».*
*Nous **ne** sommes **pas** partis avec lui.*

6. L'imparfait : c'était – il y avait – il faisait
On l'utilise pour décrire des circonstances, une situation passée.
→ *Hier je suis allé au centre-ville. **Il y avait** les lumières de Noël, **c'était** beau. Mais **il faisait** très froid,
et **il y avait** beaucoup de monde.*

7. Les verbes pronominaux
Ce sont les verbes avec **SE** à l'infinitif. Ils se conjuguent comme les autres verbes, mais on adapte le pronom
au sujet.
→ ***Se** réveiller*

*Je **me** réveille*	*Nous **nous** réveillons*
*Tu **te** réveilles*	*Vous **vous** réveillez*
*Il/elle/on **se** réveille*	*Ils **se** réveillent*

AUTOUR DE LA PHRASE

1. La phrase affirmative et la phrase négative

La phrase affirmative sert à donner une information ou à raconter des événements. Elle commence par une majuscule et se termine par un point. Elle contient un sujet et un verbe.

→ *François lit*.
    sujet   verbe

Après le verbe, on peut aussi ajouter un complément. → *François aime la lecture*.

La phrase négative exprime une négation et contient une négation placée autour du verbe.
→ *– Il parle allemand ? – Non, il **ne** parle **pas** allemand, il parle français.*
*– Tu aimes le café ? – Non, je **n'**aime **pas** ça.*
– Vous habitez à Lille ? – Non, nous n'habitons pas à Lille mais à Lyon.

2. La phrase interrogative

La phrase interrogative pose une question et se termine par un point d'interrogation.

Il existe plusieurs formes.

- Avec un mot interrogatif au début de la phrase :

Quelle *est ton adresse ?*   ***Qu'est-ce que*** *tu fais ?*   ***Est-ce que*** *tu viens ce soir ?*

- Avec un mot interrogatif à la fin de la phrase :
→ *C'est **qui** ?*   *On y va **comment** ?* (manière)
*Tu as **quel** âge ?*   *On y va **quand** ?* (moment)
*Tu habites **où** ?*   *On va **où** ?* (lieu)

- Avec une intonation montante à l'oral et un point d'interrogation à l'écrit :
→ *Tu aimes le français ? ↗*
Tu viens au cinéma ? ↗

> **On distingue les questions fermées des questions ouvertes.**
>
> - Questions fermées : on répond par oui ou par non.
>
> → *Tu viens ce soir ? **Oui**, je viens. **Non**, je ne viens pas.*
>
> - Questions ouvertes : on répond par une information ou par une explication.
>
> → *Qu'est-ce que c'est ? C'est ma nouvelle voiture. Elle fonctionne comment ?*
>
> *Elle fonctionne à l'électricité.*

3. C'est ; il/elle est ; il y a

- Pour dire que quelque chose ou quelqu'un est là, on utilise **il y a**. → *Devant chez moi, **il y a** un parc.*
- Pour présenter quelqu'un ou quelque chose, on utilise **c'est**. → ***C'est** Damon Albarn. **C'est** mon chanteur préféré.*
- Au pluriel, on n'utilise pas *c'est*, on utilise ***ce sont***. → *Voici Romane et Jules. **Ce sont** mes enfants.*

4 Les mots pour structurer la phrase

Pour relier les mots et les informations dans une phrase, on utilise des connecteurs : et, ou, mais, parce que, alors, donc.

- **Et** permet d'ajouter un élément dans la phrase. → *Je vais prendre un plat **et** un dessert.*

- **Ou** exprime une alternative entre deux éléments dans la phrase. → *Tu veux un fromage **ou** un dessert ?*

- **Mais** permet d'opposer deux éléments dans une phrase. → *Je suis fatigué **mais** je vais venir à ta fête.*

- **Parce que** permet d'exprimer la cause. → *Je suis fatigué **parce que** j'ai beaucoup marché.*

- **Alors** et **donc**, placés entre deux éléments d'une phrase, permettent d'exprimer la conséquence.
→ *Je suis fatigué **alors** je vais me reposer. Il pleut **donc** je ne sors pas.*

LA LOCALISATION DANS L'ESPACE

1. Les prépositions de lieu
Pour localiser, pour situer dans l'espace, on utilise les prépositions de lieu. Elles sont suivies d'un nom.
→ *Où sont mes clés ? Elles sont **dans ton sac**, **sur la table** !*

Prépositions simples	Prépositions composées
sur	près de, à côté de
sous	a droite de, à gauche de
dans	au milieu de
entre	en face de
devant, derrière	à l'intérieur de, à l'extérieur de

- La préposition **chez** suivie d'un nom propre ou d'un pronom tonique indique le lieu où l'on est ou bien le lieu où l'on va.
→ *Je suis **chez Jean**. Tu viens **chez lui** ?*

2. À, en, au, aux
On utilise ces prépositions devant un nom de ville ou de pays.
→ *J'habite **à** Boston, **aux** États-Unis. Je pars **en** Chine.*

- La préposition **à** suivie d'un nom de ville indique la ville où l'on est ou bien la ville où l'on va.
→ *J'habite **à** Paris. Je vais **à** Paris.*

- Les prépositions **aux**, **en**, **au** suivies d'un nom de pays indiquent le pays où l'on est.
→ *Je vis **aux** États-Unis.*
*Je vis **au** Portugal.*
*Je vis **en** Colombie.*

Règles d'emploi	Prépositions	Exemples
Devant un nom de pays singulier masculin (→ *le Pérou*)	**au**	J'ai habité **au** Pérou.
Devant un nom de pays singulier qui commence par une voyelle ou un « h » muet (→ *l'Ouganda*)	**en**	Je vais **en** Ouganda.
Devant un nom de pays singulier féminin (→ *la Chine*)	**en**	Je vis **en** Chine.
Devant un nom de pays pluriel (→ *les États-Unis*)	**aux**	Je pars **aux** États-Unis.

LA LOCALISATION DANS LE TEMPS

1. Préposition de temps
Pour indiquer une date précise du passé, du présent ou du futur, on peut utiliser **en**.
En s'utilise devant :
- **en** + année. → *En 2011, je suis allé en Russie.*
- **en** + mois de l'année. → *En septembre, c'est la rentrée.*

2. L'heure

Heure formelle / 24 h		Heure courante / 12 h
sept heures	7 h 00	sept heures (du matin)
huit heures quinze	8 h 15	huit heures et quart
neuf heures trente	9 h 30	neuf heures et demie
dix heures quarante-cinq	10 h 45	onze heures moins le quart
douze heures	12 h 00	midi
treize heures dix	13 h 10	une heure dix (de l'après-midi)
quinze heures quarante	15 h 40	quatre heures moins vingt
zéro heure	00 h 00	minuit

- Pour demander l'heure qu'il est, on peut utiliser différentes formulations :
→ *Il est quelle heure ?*
Est-ce que tu as/vous avez l'heure ?
Tu as/vous avez l'heure ?

- Pour donner l'heure qu'il est, on peut utiliser **Il est + heure** ou dire « l'heure » directement.
→ *Il est 9 heures !*
9 heures !

- Pour demander l'heure d'un rendez-vous, on peut utiliser **à quelle heure** au début ou à la fin de la question.
→ **À quelle heure** *est la séance ?*
*On se retrouve **à quelle heure** ?*

- Pour donner l'heure d'un rendez-vous, on peut utiliser **à + heure**.
→ *À 15 h 30.*

3. La fréquence
- Pour exprimer une fréquence précise et régulière, on peut utiliser :
Le/les/tous les + jour de la semaine/période de temps
→ **Le** *samedi, je fais du sport.*
Les *week-ends, l'hiver, on va skier.*
*Tous **les** dimanches, on fait le marché.*

- Pour exprimer la fréquence de façon plus nuancée, on peut aussi utiliser des adverbes.

Les adverbes se placent après le verbe aux temps simples, et entre les deux formes des temps composés
(passé composé/futur proche).

		Temps simples	Temps composés
+++	Toujours	Il prend **toujours** le bus	Il a **toujours** pris le bus
++	Souvent, régulièrement	Tu vas **souvent** au théâtre ?	Tu es **souvent** allé au théâtre ?
+ -	Parfois, quelquefois	Nous dînons **parfois** en ville.	Nous avons **parfois** dîné en ville.
- -	Rarement	Je prends **rarement** l'avion.	J'ai **rarement** pris l'avion.
- - -	(ne) Jamais	Il ne fait **jamais** de sport.	Il n'a **jamais** fait de sport.

4. La durée
- Pour indiquer le début et la fin d'une durée, on utilise des expressions de temps.
→ *Le magasin est ouvert **de** 10 heures **à** 19 heures.*
*Le magasin est ouvert **à partir de** 10 heures **et jusqu'à** 19 heures.*
*Le magasin est ouvert **entre** 10 heures **et** 19 heures.*

- Pour indiquer des horaires, on utilise en général : **de ... à ...**
→ *Il a un cours de piano le lundi, **de** 9 heures **à** 10 heures.*

- Pour indiquer une période : **pendant**
→ **Pendant** *les vacances, je vais à Paris.*
Pendant *les vacances, j'ai visité le musée du Louvre.*

- Pour indiquer une durée qui continue dans le présent : **depuis** (+ présent)
→ *Hugo et Émeline vivent à Montréal **depuis** 5 ans.*

5 La chronologie
Pour structurer un récit d'événements dans le temps, on utilise des expressions de temps :

- **d'abord - puis / ensuite - enfin**
→ *Pour organiser un voyage, **d'abord** je cherche des informations sur Internet.*
*Je fais **ensuite** la réservation du billet d'avion, **puis** de l'hôtel. **Enfin**, je prépare mes bagages !*

- **aujourd'hui, hier, demain**
→ **Aujourd'hui**, *je travaille toute la journée.*

L'EXPRESSION DE LA QUANTITÉ

1. Avec des adverbes

Assez de	→ *Il y a assez de sucre dans mon thé.*
Beaucoup de	→ *Il y a beaucoup de fruits dans ce gâteau.*
Un peu de	→ *Je prends un peu de lait dans mon café.*
Trop de	→ *Il y a trop de beurre dans ce plat.*
Plein de	→ *Il y a plein de vitamines dans ce jus de fruits.*

2. Avec une unité de mesure

Kilo	→ *un kilo de pommes*
Gramme	→ *500 grammes de farine*
Litre	→ *un litre d'eau, un litre de vin*

3. Avec un contenant

Une boîte	→ *une boîte de chocolats*
Un bol	→ *un bol de soupe*
Une bouteille	→ *une bouteille de vin*
Un verre	→ *un verre d'eau*
Une tasse	→ *une tasse de café*
Une assiette	→ *une assiette de légumes*

4. Avec un article partitif
Voir page 118.

LA COMPARAISON

Pour comparer une qualité / avec un adjectif, on utilise :

- **plus** +adjectif
→ *Il a beaucoup d'amis, il est **plus** sociable.*

> ⚠️   ~~plus bon~~ = **meilleur**
>
> « meilleur » s'accorde en genre et en nombre.
>
> *J'ai pris des cours ; maintenant, je suis meilleure en français.*

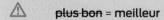

- **moins** + adjectif
→ *Je me suis couchée tôt : je suis **moins** fatiguée !*

Pour comparer une quantité / avec un nom, on utilise :

- **plus de** + nom
→ *Avec mon nouveau travail, je gagne **plus d'**argent.*

- **moins de** +nom
→ *Je prends le train maintenant et je perds **moins de** temps.*

ÊTRE

Présent	Impératif	Passé composé	Imparfait
Je suis		J'ai été	J'étais
Tu es	Sois	Tu as été	Tu étais
Il/Elle/On est		Il/Elle/On a été	Il/Elle/On était
Nous sommes	Soyons	Nous avons été	Nous étions
Vous êtes	Soyez	Vous avez été	Vous étiez
Ils/Elles sont		Ils/Elles ont été	Ils/Elles étaient

AVOIR

Présent	Impératif	Passé composé	Imparfait
J'ai		J'ai eu	J'avais
Tu as	Aie	Tu as eu	Tu avais
Il/Elle/On a		Il/Elle/On a eu	Il/Elle/On avait
Nous avons	Ayons	Nous avons eu	Nous avions
Vous avez	Ayez	Vous avez eu	Vous aviez
Ils/Elles ont		Ils/Elles ont eu	Ils/Elles avaient

VERBES EN -ER

Verbes réguliers en -er : AIMER [parler, regarder, écouter]

Présent	Impératif	Passé composé	Imparfait
J'aime		J'ai aimé	J'aimais
Tu aimes	Aime	Tu as aimé	Tu aimais
Il/Elle/On aime		Il/Elle/On a aimé	Il/Elle/On aimait
Nous aimons	Aimons	Nous avons aimé	Nous aimions
Vous aimez	Aimez	Vous avez aimé	Vous aimiez
Ils/Elles aiment		Ils/Elles ont aimé	Ils/Elles aimaient

Verbe irrégulier en -er : ALLER

Présent	Impératif	Passé composé	Imparfait
Je vais		Je suis allé(e)	J'allais
Tu vas	Va	Tu es allé(e)	Tu allais
Il/Elle/On va		Il/Elle/On est allé(e)	Il/Elle/On allait
Nous allons	Allons	Nous sommes allé(e)s	Nous allions
Vous allez	Allez	Vous êtes allé(e)s	Vous alliez
Ils/Elles vont		Ils/Elles sont allé(e)s	Ils/Elles allaient

Verbes irréguliers en -er : ACHETER (e → è) [amener, emmener]

Présent	Impératif	Passé composé	Imparfait
J'achète		J'ai acheté	J'achetais
Tu achètes	Achète	Tu as acheté	Tu achetais
Il/Elle/On achète		Il/Elle/On a acheté	Il/Elle/On achetait
Nous achetons	Achetons	Nous avons acheté	Nous achetions
Vous achetez	Achetez	Vous avez acheté	Vous achetiez
Ils/Elles achetont		Ils/Elles ont acheté	Ils/Elles achetaient

VERBES EN -IR
Verbes réguliers en -ir : FINIR [choisir, réfléchir, remplir, réussir]

Présent	Impératif	Passé composé	Imparfait
Je finis		J'ai fini	Je finissais
Tu finis	Finis	Tu as fini	Tu finissais
Il/Elle/On finit		Il/Elle/On a fini	Il/Elle/On finissait
Nous finissons	Finissons	Nous avons fini	Nous finissions
Vous finissez	Finissez	Vous avez fini	Vous finissiez
Ils/Elles finissent		Ils/Elles ont fini	Ils/Elles finissaient

AUTRES VERBES EN -IR
OFFRIR [couvrir, découvrir, ouvrir]

Présent	Impératif	Passé composé	Imparfait
J'offre		J'ai offert	J'offrais
Tu offres	Offre	Tu as offert	Tu offrais
Il/Elle/On offre		Il/Elle/On a offert	Il/Elle/On offrait
Nous offrons	Offrons	Nous avons offert	Nous offrions
Vous offrez	Offrez	Vous avez offert	Vous offriez
Ils/Elles offrent		Ils/Elles ont offert	Ils/Elles offraient

PARTIR [dormir, repartir, sentir, sortir]

Présent	Impératif	Passé composé	Imparfait
Je pars		Je suis parti(e)	Je partais
Tu pars	Pars	Tu es parti(e)	Tu partais
Il/Elle/On part		Il/Elle/On est parti(e)	Il/Elle/On partait
Nous partons	Partons	Nous sommes parti(e)s	Nous partions
Vous partez	Partez	Vous êtes parti(e)s	Vous partiez
Ils/Elles partent		Ils/Elles sont parti(e)s	Ils/Elles partaient

VENIR [devenir, revenir, tenir]

Présent	Impératif	Passé composé	Imparfait
Je viens		Je suis venu(e)	Je venais
Tu viens	Viens	Tu es venu(e)	Tu venais
Il/Elle/On vient		Il/Elle/On est venu(e)	Il/Elle/On venait
Nous venons	Venons	Nous sommes venu(e)s	Nous venions
Vous venez	Venez	Vous êtes venu(e)s	Vous veniez
Ils/Elles viennent		Ils/Elles sont venu(e)s	Ils/Elles venaient

LIRE

Présent	Impératif	Passé composé	Imparfait
Je lis		J'ai lu	Je lisais
Tu lis	Lis	Tu as lu	Tu lisais
Il/Elle/On lit		Il/Elle/On a lu	Il/Elle/On lisait
Nous lisons	Lisons	Nous avons lu	Nous lisions
Vous lisez	Lisez	Vous avez lu	Vous lisiez
Ils/Elles lisent		Ils/Elles ont lu	Ils/Elles lisaient

Conjugaisons

VERBES IRRÉGULIERS EN -IRE
DIRE

Présent	Impératif	Passé composé	Imparfait
Je dis		J'ai dit	Je disais
Tu dis	Dis	Tu as dit	Tu disais
Il/Elle/On dit		Il/Elle/On a dit	Il/Elle/On disait
Nous disons	Disons	Nous avons dit	Nous disions
Vous dites	Dites	Vous avez dit	Vous disiez
Ils/Elles disent		Ils/Elles ont dit	Ils/Elles disaient

VERBES EN -OIR
DEVOIR

Présent	Impératif	Passé composé	Imparfait
Je dois		J'ai dû	Je devais
Tu dois		Tu as dû	Tu devais
Il/Elle/On doit	*ne se conjugue*	Il/Elle/On a dû	Il/Elle/On devait
Nous devons	*pas à l'impératif*	Nous avons dû	Nous devions
Vous devez		Vous avez dû	Vous deviez
Ils/Elles doivent		Ils/Elles ont dû	Ils/Elles devaient

POUVOIR

Présent	Impératif	Passé composé	Imparfait
Je peux		J'ai pu	Je pouvais
Tu peux		Tu as pu	Tu pouvais
Il/Elle/On peut	*ne se conjugue*	Il/Elle/On a pu	Il/Elle/On pouvait
Nous pouvons	*pas à l'impératif*	Nous avons pu	Nous pouvions
Vous pouvez		Vous avez pu	Vous pouviez
Ils/Elles peuvent		Ils/Elles ont pu	Ils/Elles pouvaient

SAVOIR

Présent	Impératif	Passé composé	Imparfait
Je sais		J'ai su	Je savais
Tu sais	Sache	Tu as su	Tu savais
Il/Elle/On sait		Il/Elle/On a su	Il/Elle/On savait
Nous savons	Sachons	Nous avons su	Nous savions
Vous savez	Sachez	Vous avez su	Vous saviez
Ils/Elles savent		Ils/Elles ont su	Ils/Elles savaient

VOIR

Présent	Impératif	Passé composé	Imparfait
Je vois		J'ai vu	Je voyais
Tu vois	Vois	Tu as vu	Tu voyais
Il/Elle/On voit		Il/Elle/On a vu	Il/Elle/On voyait
Nous voyons	Voyons	Nous avons vu	Nous voyions
Vous voyez	Voyez	Vous avez vu	Vous voyiez
Ils/Elles voient		Ils/Elles ont vu	Ils/Elles voyaient

VOULOIR

Présent	Impératif	Passé composé	Imparfait
Je veux		J'ai voulu	Je voulais
Tu veux	*pas utilisé*	Tu as voulu	Tu voulais
Il/Elle/On veut		Il/Elle/On a voulu	Il/Elle/On voulait
Nous voulons	*pas utilisé*	Nous avons voulu	Nous voulions
Vous voulez	Veuillez	Vous avez voulu	Vous vouliez
Ils/Elles veulent		Ils/Elles ont voulu	Ils/Elles voulaient

FALLOIR

Présent	Impératif	Passé composé	Imparfait
Il faut	*ne se conjugue pas à l'impératif*	Il a fallu	Il fallait

VERBES EN -OIRE
BOIRE

Présent	Impératif	Passé composé	Imparfait
Je bois		J'ai bu	Je buvais
Tu bois	Bois	Tu as bu	Tu buvais
Il/Elle/On boit		Il/Elle/On a bu	Il/Elle/On buvait
Nous buvons	Buvons	Nous avons bu	Nous buvions
Vous buvez	Buvez	Vous avez bu	Vous buviez
Ils/Elles boivent		Ils/Elles ont bu	Ils/Elles buvaient

FAIRE

Présent	Impératif	Passé composé	Imparfait
Je fais		J'ai fait	Je faisais
Tu fais	Fais	Tu as fait	Tu faisais
Il/Elle/On fait		Il/Elle/On a fait	Il/Elle/On faisait
Nous faisons	Faisons	Nous avons fait	Nous faisions
Vous faites	Faites	Vous avez fait	Vous faisiez
Ils/Elles font		Ils/Elles ont fait	Ils/Elles faisaient

PRENDRE

Présent	Impératif	Passé composé	Imparfait
Je prends		J'ai pris	Je prenais
Tu prends	Prends	Tu as pris	Tu prenais
Il/Elle/On prend		Il/Elle/On a pris	Il/Elle/On prenait
Nous prenons	Prenons	Nous avons pris	Nous prenions
Vous prenez	Prenez	Vous avez pris	Vous preniez
Ils/Elles prennent		Ils/Elles ont pris	Ils/Elles prenaient

Lexique

Mot français	ANGLAIS	ESPAGNOL	PORTUGAIS	CHINOIS	ARABE
Accepter, v.	to accept / to agree to, v.	aceptar, v.	aceitar, v.	接受，承认	قَبِلَ
accueil, n. m.	welcome / reception, n.	recepción, n. f.	recepção, n. f.	迎接，接待	استقبال
acheter, v.	to buy, v.	comprar, v.	comprar, v.	购买；收买	اشترى
activité, n. f. (je pratique telle activité le dimanche....)	activity, n.	actividad, n. f.	actividade, n. f.	活动	نَشاطٌ
adresse, n. f. (adresse postale)	address, n.	dirección, n. f.	morada, n. f.	住址，地址	عنوان
âge, n. m.	age, n.	edad, n. f.	idade, n. f.	年龄；年代	عُمر
alimentation, n. f. (lié à la nourriture)	food / diet, n.	alimentación, n. f.	alimentação, n. f.	食品	تغذية
aller, v.	to go, v.	ir, v.	ir, v.	去	ذهَبَ (إلى)
ami, n.	friend, n.	amigo, n.	amigo, n.	朋友	صديق
an, n. m.	year, n.	año, n. m.	ano, n. m.	年	عامٌ
anniversaire, n. m.	birthday / anniversary, n.	cumpleaños, n. m.	aniversário, n. m.	生日	عيد ميلاد
appartement, n. m.	flat / apartment, n.	piso, n. m.	apartamento, n. m.	套房	شُقّة
appeler (s'), v.	to be called (name), v.	llamarse, v.	chamar-se, v.	名叫，称为	تسمّى
apprendre, v.	to learn, v.	aprender, v.	aprender, v.	学习；听说	تَعلم
argent, n. m.	money, n.	dinero, n. m.	dinheiro, n. m.	白银；钱款	مال
arrêter (s'), v.	to stop, v.	pararse, v.	parar, v.	停止	توقَّفَ
arrivée, n. f.	arrival / destination, n.	llegada, n. f.	chegada, n. f.	到达	وصولٌ
art, n. m. (théâtre, musique, etc.)	art (the arts), n.	arte, n. m.	arte, n. m.	艺术	فن
aujourd'hui, n. m.	today, n.	hoy, n. m.	hoje, n. m.	今天	اليوم
avant, adv.	before, adv.	antes, adv.	antes, adv.	前面；以前	قَبْل
avenir, n. m.	future, n.	porvenir, n. m.	futuro, n. m.	未来	مُسْتَقبَل
avion, n. m.	plane / aircraft, n.	avión, n. m.	avião, n. m.	飞机	طائرة
avoir, v.	to have, v.	tener, v.	ter, v.	享有，具有	امتلك
Banque, n. f.	bank, n.	banco, n. m.	banco, n. m.	银行	بنك
beau, adj.	beautiful / lovely, adj.	bonito, adj.	belo, adj.	好看的，美丽的	جميل
bien, adv.	good / well, adv.	bien, adv.	bem, adv.	好，出色地	جيدا
bienvenue, n. f.	welcome, n.	bienvenida, n. f.	benvindo, n. m.	欢迎	مرحبا
billet, n. m. (billet d'avion)	ticket, n.	billete, n. m.	bilhete, n. m.	机票	تذكرة سفر
boire, v.	to drink, v.	beber, v.	beber, v.	喝	شرَبَ
boisson, n. f.	drink / beverage, n.	bebida, n. f.	bebida, n. f.	饮料	مشروب
bon, adj.	good, adj.	bueno, adj.	bom, adj.	良好的，优秀的	جيد
Cadeau, n. m.	gift / present, n.	regalo, n. m.	prenda, n. f.	礼物	هدية
calme, adj.	calm / quiet, adj.	tranquilo, adj.	calma, adj.	平静的	هادئ
célibataire, adj.	single / unmarried, adj.	soltero, adj.	solteiro, adj.	单身的	أعزب
centre ville, n. m.	city centre / town centre, n.	centro urbano, n. m.	centro da cidade, n. m.	市中心	وسط المدينة
chaud, adj.	hot / warm, adj.	caliente, adj.	quente, adj.	热的；热烈的	ساخن
chercher, v.	to look for / to search, v.	buscar, v.	procurar, v.	寻找，寻求	بحث (عن)
chez, prep.	at (a place), prep.	en casa de, prep.	em (casa de), prep.	在…	عند (مكان)
choisir, v.	to choose, v.	elegir, v.	escolher, v.	选择，挑选	اختار
chômage, n. m.	unemployment, n.	paro, n. m.	desemprego, n. m.	失业	بَطالة
chose, n. f.	thing, n.	cosa, n. f.	coisa, n. f.	事情	شيءٌ
client, n. m.	client / customer, n.	cliente, n. m.	cliente, n. m.	顾客，客户	زبون
climat, n. m. (ex. : climat tempéré)	climate, n.	clima, n. m.	clima, n. m.	气候	مناخ
commander, v. (ex. : commander un plat au restaurant)	to order, v.	pedir, v.	encomendar, v.	指挥，支配	طلَبَ
commencer, v.	to start / to begin, v.	empezar, v.	começar, v.	开始	بدَأَ
commerce, n. m. (ex. : il fait des études de commerce)	business, n.	comercio, n. m.	comércio, n. m.	商业，商务	تجارة
comprendre, v.	to understand, v.	comprender, v.	compreender, v.	理解，明白	فَهِمَ
congés, n. m. pl.	leave / holiday, n.	vacaciones, n. f. pl.	férias, n. f. pl.	休假，假期	إجازات
connaître, v.	to know, v.	conocer, v.	conhecer, v.	认识，了解	عرَفَ
continuer, v.	to continue / to carry on, v.	continuar, v.	continuar, v.	继续	واصَلَ
coordonnées, n. f. pl.	contact details (address, etc.), n. (pl.)	coordenadas, n. f. pl.	dados, n. m. pl.	坐标；联系方式	معلومات الاتصال
corps, n. m.	body, n.	cuerpo, n. m.	corpo, n. m.	身体，主体	جسم
couleur, n. f.	colour, n.	color, n. m.	cor, n. f.	颜色	لون
couple, n. m.	couple / pair, n.	pareja, n. f.	casal, n. m.	两个，一对	زَوجان
cours, n. m. (cours de russe, de chinois....)	lesson / class, n.	curso, n. m.	curso, n. m.	课程	دروس
culture, n. f. (culture française)	culture, n.	cultura, n. f.	cultura, n. f.	文化	ثقافة
cuisine, n. f. (cuisine française)	cooking / food, n.	cocina, n. f.	cozinha, n. f.	烹饪，烹调	طبخ

Mot français	ANGLAIS	ESPAGNOL	PORTUGAIS	CHINOIS	ARABE
Date, n. f.	date, n.	fecha, n. f.	data, n. f.	日期	تاريخ
début, n. m.	beginning / start, n.	principio, n. m.	início, n. m.	开始	بداية
découvrir, v.	to discover, v.	descubrir, v.	descobrir, v.	发现，了解	اكتشف
décrire, v.	to describe, v.	describir, v.	descrever, v.	形容，描述	وَصَفَ
demain, adv.	tomorrow, adv.	mañana, adv.	amanhã, adv.	明天	غدا
demander, v.	to ask for / to request, v.	pedir, v.	pedir, v.	要求，请求	طلَبَ
départ, n. m.	departure, n.	salida, n. f.	partida, n. f.	出发，动身	مُغَادَرة
destination, n. f.	destination, n.	destino, n. m.	destino, n. m.	目的地；用途	وُجْهَة
devoir, v.	must / to be obliged to, v.	deber, v.	dever, v.	欠，多亏	واجب
différence, n. f.	difference, n.	diferencia, n. f.	diferença, n. f.	区别，不同	فارق
difficile, adj.	difficult, adj.	difícil, adj.	difícil, adj.	难的，困难的	صعب
domicile, n. m.	home / place of residence, n.	domicilio, n. m.	domicílio, n. m.	住所，住宅	منزل
donner, v.	to give, v.	dar, v.	dar, v.	给予，献出	مَنَحَ
Eau, n. f.	water, n.	agua, n. f.	água, n. f.	水；汁	ماء
école, n. f.	school, n.	escuela, n. f.	escola, n. f.	学校；流派	مدرسة
emploi, n. m.	job, n.	empleo, n. m.	emprego, n. m.	用法；职业	منصب عمل
enfant, n.	child, n.	niño(a), n.	criança, n. f.	孩子，儿童	طفل
entreprise, n. f.	business / company, n.	empresa, n. f.	empresa, n. f.	企业	شركة
envoyer, v.	to send, v.	enviar, v.	enviar, v.	派遣，寄送	أرْسَلَ
état civil, n. m.	civil status / marital status, n.	estado civil, n. m.	estado civil, n. m.	个人状况	حالة مدنية
étranger, n. m.	foreigner / stranger, n.	extranjero, n. m.	estrangeiro, n. m.	外国人；异乡人	أجنبي
être, v.	to be, v.	ser, v.	ser, v.	存在；是	كان، يكون
études, n. f. pl.	studies, n. pl	estudios, n. m. pl.	estudos, n. m. pl.	学业	دراسات (جامعية)
expérience, n. f.	experience / experiment, n.	experiencia, n. f.	experiência, n. f.	经验，体验	تجربة
Facile, adj.	easy, adj.	fácil, adj.	fácil, adj.	容易的	سهلٌ
faim, n. f.	hunger, n.	hambre, n. f.	fome, n. f.	饥饿	جوعٌ
faire, v.	to do / to make, v.	hacer, v.	fazer, v.	做；创造	قام بـ
famille, n. f.	family, n.	familia, n. f.	família, n. f.	家庭；家族	أُسْرَة
femme, n. f.	woman, n.	mujer, n. f.	mulher, n. f.	女人；妻子	امرأة
fermé, adj.	closed, adj.	cerrado, adj.	fechado, adj.	封闭的；内向的	مُغْلَقٌ
finir, v.	to finish / to complete, v.	terminar, v.	acabar, v.	完成，结束	أنْهَى
formation, n. f.	education / training, n.	formación, n. f.	formação, n. f.	培训；形成	تكوين (مهني)
froid, n. m.	cold, n.	frío, n. m.	frio, n. m.	寒冷的	بَرْدٌ
Gare, n. f.	station, n.	estación, n. f.	estação, n. f.	火车站	محطة
gens, n. m. pl.	people, n. pl	gente, n. f.	gente, n. f.	人们	الناس
gentil(-ille), adj.	kind / nice, adj.	amable, adj.	gentil, adj.	客气的；友好的	لطيف، لطيفة
goût, n. m.	taste / flavour, n.	gusto, n. m.	sabor, n. m.	口味；品位	ذوق
grand, adj.	tall / big, adj.	grande (largo), adj.	grande, adj.	大的；伟大的	كبير
gros, adj.	large / big, adj.	grande (gordo), adj.	grosso, adj.	胖的；巨大的	ضخم
groupe, n. m.	group, n.	grupo, n. m.	grupo, n. m.	团体	مجموعة
Habiller (s'), v.	to get dressed / to dress, v.	vestirse, v.	vestir-se, v.	穿着，穿衣	ارتدى (ملابسه)
habitant, n. m.	inhabitant / resident, n.	habitante, n. m.	habitante, n. m.	居民；人口	ساكن
habiter, v.	to live in, v.	vivir, v.	habitar, v.	居住	سكنَ
habitude, n. f.	habit / custom, n.	costumbre, n. f.	hábito, n. m.	习惯，习俗	عادة
heure, n. f.	hour / time, n.	hora, n. f.	hora, n. f.	小时；时间	ساعة
heureux, adj	happy, adj.	feliz, adj.	feliz, adj	幸福的，高兴的	سعيد
hier, adv.	yesterday, adv.	ayer, adv.	ontem, adv.	昨天	أمْس
homme, n. m.	man, n.	hombre, n. m.	homem, n. m.	人类；男子	رجل
horaire, n. m.	timetable / schedule, n.	horario, n. m.	horário, n. m.	时间的，时刻的	توقيت
Ici, adv.	here, adv.	aquí, adv.	aqui, adv.	这儿，这里	هنا
idée, n. f.	idea, n.	idea, n. f.	ideia, n. f.	想法；观念	فكرة
identité, n. f.	identity, n.	identidad, n. f.	identidade, n. f.	身份；一致	هوية
important, adj.	important / significant, adj.	importante, adj.	importante, adj.	重要的	هام
individu, n. m.	individual, n.	individuo, n. m.	indivíduo, n. m.	个人，个体	شخص
information, n. f.	information, n. pl	información, n. f.	informação, n. f.	信息；通知	معلومة
informatique, n. f./ adj.	information technology (IT), n.	informática, n. f./informático, adj.	informática, n. f./ adj.	信息科学（的），信息技术（的）	معلوماتية
Jeune, n. / adj.	young man, n. / young, adj.	joven, n. / adj.	jovem, n. / adj.	青年人/年轻的	شابٌ

Lexique

Mot français	ANGLAIS	ESPAGNOL	PORTUGAIS	CHINOIS	ARABE
jour, n. m.	day, n.	día, n. m.	dia, n. m.	天，日子	يوم
journal, n. m. / pl.	newspaper, n.	periódico, n. m.	jornal, n. m.	日志；报纸	جريدة
journée, n. f.	day, n.	jornada, n. f.	jornada, n. f.	白天，白昼	نهار
Langue, n. f. (ex. : langue française)	language, n.	lengua, n. f.	idioma, n. m.	语言	لغة
libre, adj. (contraire de indisponible)	available / vacant, adj.	libre, adj.	livre, adj.	自由的，无拘无束的	متفرغ
lieu, n. m.	place, n.	lugar, n. m.	lugar, n. m.	地方，地点	مكان
livre, n. m.	book, n.	libro, n. m.	livro, n. m.	书，书本	كتاب
loisir, n. m.	leisure / recreation, n.	ocio, n. m.	lazer, n. m.	闲暇；充裕的时间	هواية
Magasin, n. m.	shop, n.	tienda, n. f.	revista, n. f.	商店；仓库	محل
maintenant, adv.	now, adv.	ahora, adv.	agora, adv.	现在，目前	الآن
maison, n. f.	house, n.	casa, n. f.	casa, n. f.	房屋，住宅	منزل
malade, adj.	ill / sick, adj.	enfermo, adj.	doente, adj.	患病的，生病的	مريض
manger, v.	to eat, v.	comer, v.	comer, v.	吃，吃饭	أَكَلَ
marcher, v.	to walk / to go, v.	andar, v.	andar, v.	行走，步行	مَشَى
mari, n. m.	husband, n.	marido, n. m.	marido, n. m.	丈夫	زوج
marié, adj.	married, adj.	casado, adj.	casado, adj.	已婚的	متزوج
matin, n. m.	morning, n.	mañana, n. f.	manhã, n. f.	早晨，上午	صباح
mer, n. f.	sea, n.	mar, n. m.	mar, n. m.	海洋，海水	بحر
métier, n. m.	job / profession, n.	oficio, n. m.	profissão, n. f.	行业，职业	مهنة
métro, n. m.	underground, n.	metro, n. m. (transporte)	metro, n. m.	地铁	مترو
mettre, v.	to put, v.	poner, v.	pôr, v.	放置	وَضَعَ (شيئا)
mobile, n. m. / adj.	mobile phone, n. / mobile, adj.	móvil, n. m. / adj.	móvel, n. m. / adj.	运动的，活动的	جوال
mode, n. f.	fashion, n.	moda, n. f.	moda, n. f.	风尚，时尚	موضة
mois, n. m.	month, n.	mes, n. m.	mês, n. m.	月份	شهر
monde, n. m.	world, n.	mundo, n. m.	mundo, n. m.	世界，天下	عالم
musique, n. f.	music, n.	música, n. f.	música, n. f.	音乐	موسيقى
Naissance, n. f.	birth, n.	nacimiento, n. m.	nascimento, n. m.	出生，诞生	ولادة
nationalité, n. f.	nationality, n.	nacionalidad, n. f.	nacionalidade, n. f.	国籍	جنسية
nom, n. m.	name / surname, n.	apellido, n. m.	nome, n. m.	姓氏，姓名	اسم العائلة
nombreux, adj.	numerous / many, adj.	numeroso, adj.	numeroso, adj.	大量的，许多的	عديد
nouveau, adj.	new, adj.	nuevo, adj.	novo, adj.	新的；新奇的	جديد
nuit, n. f.	night, n.	noche, n. f.	noite, n. f.	夜晚，夜间	ليلة
numéro, n. m.	number, n.	número, n. m.	número, n. m.	号码；节目	رقم
Objet, n. m.	object, n.	objeto, n. m.	objecto, n. m.	物体；目的	شيئٌ
observer, v.	to observe / to notice, v.	observar, v.	observar, v.	观察，遵守	لاحظ
office de tourisme, n. m.	tourist office, n.	oficina de turismo, n. f.	posto de turismo, n. m.	旅游局	مكتب سياحة
ordinateur, n. m.	computer, n.	ordenador, n. m.	computador, n. m.	电脑	حاسوب
organiser, v.	to organise, v.	organizar, v.	organizar, v.	组织，组成	نظَّم
ouvert, adj.	open, adj.	abierto, adj.	aberto, adj.	开放的	مفتوح
Pain, n. m.	bread, n.	pan, n. m.	pão, n. m.	面包	خبز
papiers d'identité, n. m. pl.	identity papers, n. pl	documentos de identidad, n. m. pl.	documentos de identidade, n. m. pl.	身份证件	أوراق الهوية
parent, n. m.	parent, n.	pariente, n. m.	parente, n. m.	父母；亲戚	والد، والدة
parler, v.	to speak / to talk, v.	hablar, v.	falar, v.	说话；讲	تَكَلَّم
partir, v.	to leave, v.	irse, v.	partir, v.	出发，启程	ذَهَبَ
payer, v.	to pay, v.	pagar, v.	pagar, v.	支付，付款	دَفَعَ
pays, n. m.	country, n.	país, n. m.	país, n. m.	国家；故乡	بلد
personne, n. f.	person, n.	persona, n. f.	pessoa, n. f.	人	شخصٌ
petit, adj.	small / little, adj.	pequeño, adj.	pequeno, adj.	小的，矮小的	صغير
plan, n. m.	map, n.	plano, n. m.	plano, n. m.	计划；方案；地图	مخطط
plusieurs	several / many	muchos	vários	好几个，好些	عدّة
porter, v.	to carry / to wear, v.	llevar, v.	levar, v.	承担，支撑	حَمَل
pour, prép.	for, prep.	para / por, prep.	para, prep.	为了	من أجل
pouvoir, v.	to be able to, v.	poder, v.	poder, v.	能，能够	استطاع
préférer, v.	to prefer, v.	preferir, v.	preferir, v.	宁愿；更喜欢	فَضَّلَ
premier, adj.	first / leading, adj.	primer, adj.	primeiro, adj.	第一的；首要的；最初的	أول
prendre, v.	to take, v.	coger, v.	pegar, v.	拿，取；搭乘	أخذ
prénom, n. m.	first name / christian name, n.	nombre, n. m.	nome, n. m.	名字	اسم أول

Mot français	ANGLAIS	ESPAGNOL	PORTUGAIS	CHINOIS	ARABE
présenter (se), v.	to appear, v.	presentarse, v.	apresentar-se, v.	自我介绍；拜访	قدّم نفسه
prix, n. m.	price / prize, n.	precio, n. m.	preço, n. m.	价格；代价	ثمن
problème, n. m.	problem, n.	problema, n. m.	problema, n. m.	问题；题目	مشكلة
profession, n. f.	profession / occupation, n.	profesión, n. f.	profissão, n. f.	职业	مهنة
Quartier, n. m.	area / district, n.	barrio, n. m.	bairro, n. m.	地区；街区	حَيّ (مكان)
Raconter, v.	to tell, v.	contar, v.	contar, v.	诉述、讲述	حَكَى
rarement, adv.	rarely, adv.	raramente, adv.	raramente, adv.	难得，很少地	نادرا
refuser, v.	to refuse / to reject, v.	rechazar, v.	recusar, v	拒绝	رَفَضَ
rendez-vous, n. m.	appointment / meeting, n.	cita, n. f.	encontro, n. m.	约会	موعد
renseignement, n. m.	information, n. pl	información, n. f.	informação, n. f.	情况；信息	معلومة
repas, n. m.	meal, n.	comida, n. f.	refeição, n. f.	伙食，餐	وجبة أُكل
réservation, n. f.	reservation / booking, n.	reserva, n. f.	reserva, n. f.	预订，保留	حَجْز (تذكرة)
retour, n. m.	return, n.	vuelta, n. f.	regresso, n. m.	返回，归回	عودة
réunion, n. f.	meeting, n.	reunión, n. f.	reunião, n. f.	会议；团聚	اجتماع
rue, n. f.	road / street, n.	calle, n. f.	rua, n. f.	街道，马路	شارع
Saison, n. f.	season, n.	estación, n. f.	estação, n. f.	季节	موسم
salaire, n. m.	salary / wage, n.	sueldo, n. m.	salário, n. m.	工资	راتب
santé, n. f.	health, n.	salud, n. f.	saúde, n. f.	健康，健康状况	صحة
savoir, v.	to know, v.	saber, v.	saber, v.	了解，认识	عَلِمَ
semaine, n. f.	week, n.	semana, n. f.	semana, n. f.	星期，周	أسبوع
seul, adj.	alone / only, adj.	solo, adj.	só, adj.	单独，独自	وحيد
société, n. f.	society / company, n.	sociedad, n. f.	sociedade, n. f.	公司；社会	مجتمع
soir, n. m.	evening, n.	tarde, n. f.	noite, n. f.	晚上，夜晚	مساء
soirée, n. f.	evening / party, n.	noche, n. f.	sarau, n. m.	晚会；晚上	سهرة
soleil, n. m.	sun, n.	sol, n. m.	sol, n. m.	太阳；阳光	شمس
sortir, v.	to take out / to go out, v.	salir, v.	sair, v.	出去，出门	خَرَجَ
souhaiter, v.	to wish / to hope for, v.	desear, v.	desejar, v.	希望，祝愿	تَمَنَى
spectacle, n. m.	sight / performance, n.	espectáculo, n. m.	espectáculo, n. m.	场面；表演	عَرْض (فني)
suivre, v.	to follow, v.	seguir, v.	seguir, v.	追踪；跟随	تابع
Tard, adv.	late, adv.	tarde, adv.	tarde, adv.	晚，迟	متأخرًا
téléphoner, v.	to phone / to call, v.	telefonear, v.	telefonar, v.	打电话	اتصل هاتفيا
temps, n. m.	weather / time, n.	tiempo, n. m.	tempo, n. m.	光阴，时间	زمن
tôt, adv.	early, adv.	pronto, adv.	cedo, adv.	早	مبكرا
tout, adj.	all, adj.	todo, adj.	tudo, adj.	所有的	كل
train, n. m.	train, n.	tren, n. m.	comboio, n. m.	火车，列车	قطار
trajet, n. m.	route / journey, n.	trayecto, n. m.	trajecto, n. m.	行程，路程	مسار رحلة
transport, n. m.	transport, n.	transporte, n. m.	transporte, n. m.	交通；运输	نَقْل
travailler, v.	to work, v.	trabajar, v.	trabalhar, v.	工作	عَمِلَ
très, adv.	very, adv.	muy, adv.	muito, adv.	很，非常	جداً
trop, adv.	too much / too many, adv.	demasiado, adv.	demasiado, adv.	太，过于	أكثر من اللازم
trouver, v.	to find, v.	encontrar, v.	encontrar, v.	找到；遇到；觉得	وَجَدَ
université, n. f.	university, n.	universidad, n. f.	universidade, n. f.	大学	جامعة
urgent, adj.	urgent, adj.	urgente, adj.	urgente, adj.	紧急的，紧迫的	عاجل
Vacances, n. f. pl.	holiday(s), n. (pl)	vacaciones, n. f. pl.	férias, n. f. pl.	休假，假期	عطلة
valise, n. f.	suitcase, n.	maleta, n. f.	mala, n. f.	行李，手提箱	حقيبة
venir, v.	to come, v.	venir, v.	vir, v.	来，来到	جَاءَ
vêtement, n. m.	item of clothing, n.	prenda, n. f.	roupa, n. f.	服装，衣着	ملابس
ville, n. f.	town / city, n.	ciudad, n. f.	cidade, n. f.	城市，城区	مدينة
visiter, v.	to visit, v.	visitar, v.	visitar, v.	参观；探访	زارَ
vivre, v.	to live, v.	vivir, v.	viver, v.	生活；生存	عاش
voir, v.	to see, v.	ver, v.	ver, v.	看，看见	شاهَدَ
voiture, n. f.	car, n.	coche, n. m.	viatura, n. f.	汽车；车厢	سيارة
vouloir, v.	to want, v.	querer, v.	querer, v.	期望，期待	أراد
voyager, v.	to travel, v.	viajar, v.	viajar, v.	旅行，旅游	سافر
vrai, adj.	true, adj.	verdadero, adj.	verdadeiro, adj.	真的，真实的	حقيقيّ

RETROUVEZ LES TRANSCRIPTIONS DES VIDÉOS SUR LE SITE :
www.didierfle.com/mobile

UNITÉ 0 – Mobilisons-nous !
Piste n° 1, activité 3, page 10.
Des bruits de restaurant ; une rue animée, un magasin, des rires entre amis.

Piste n° 2, activité 5, page 11.

Piste n° 3, activité 2, page 12, l'alphabet français.

Piste n° 4, activité 3, page 13.

Piste n° 5, activité 4, page 13.

Piste n° 6, activité 5, page 13, les nombres de 1 à 100.

Piste n° 7, activité 6, page 13.

UNITÉ 1 - Arriver en France

Piste n° 8, activité 2, page 16
– Bonjour ! Bienvenue à l'Association *J'arrive*. Laissez votre message avec vos coordonnées : merci !
– Bonjour ! Moi, c'est Marco. Je suis espagnol. Contactez-moi au : 03 20 96 53 44. À bientôt !
– Salut, je m'appelle Liu. Je suis chinois. Mon e-mail est : liu.li@hotmail.com
– Bonjour, je suis Vanilda. Je suis brésilienne. Mon numéro de téléphone, c'est le 06 25 60 61 62. Au revoir !

Piste n° 10, Minutes sons, page 17
Je m'appelle Vanilda.
Bonjour, moi, c'est Thomas !
Moi, c'est Marco. Je suis française.
Mon numéro de téléphone.
Je m'appelle Léa Dutour. Mon adresse, c'est 18 rue Nationale.

Piste n° 11, activité 2, page 18
– Bonjour, Monsieur ! Bienvenue à *J'arrive* ! Je suis Alex Sabal !
– Bonjour ! Je suis Charly.
– Ah c'est vous !
– Je voudrais m'inscrire...
– Bien sûr, asseyez-vous... Alors, je voudrais votre nom exact, s'il vous plaît...
– Je m'appelle Charly Drill, D.R.I.2L.
– D'accord... Votre nationalité ?
– Je suis anglais.
– Votre date et votre lieu de naissance, s'il vous plaît ?
– Alors, ma date de naissance : je suis né le 16 juin 1984 à Londres,

en Angleterre.
– OK. Votre situation de famille ?
– Je suis célibataire.
– Bien, merci. Alors... Votre adresse ?
– J'habite à Montpellier, 120, avenue de la Justice. Et mon mail c'est charlydrill-arobase-yahoo.fr
– Très bien. Et enfin, votre numéro de téléphone ?
– C'est le 06 45 56 34 27.
– C'est parfait, vous êtes inscrit.
– Merci beaucoup !
– Merci à vous, Charly. À bientôt !

Piste n° 12, Minutes sons, page 19
Adresse : date, naissance, nationalité, téléphone, domicile, identité.

Piste n° 13, activité 1, page 20
Dialogue 1
– Salut Alex. Tu vas bien ?
– Oui, super, et toi Julie ?
– Ça va !
Dialogue 2
– Bonjour M. Drill, entrez !
– Bonjour... bonsoir !
– Oui, bonsoir, c'est vrai ! Ah, vous parlez français ?
– Oui, un petit peu.
Dialogue 3
– Salut, je m'appelle Vanilda.
– Bonjour Vanilda, moi c'est Lucas. Tu... vous... on se tutoie, non ?
– Bien sûr ! J'ai 19 ans, et toi ?
– J'ai 21 ans. Tu es anglaise ?
– Non, je suis brésilienne.
– Moi, Je suis américain.
– Super, tu parles anglais, alors.
– Oui, je parle anglais, portugais et un peu français.
– Tu habites à Montpellier aussi ?
– Oui, oui, j'habite ici.
Dialogue 4
– Au revoir tout le monde, merci beaucoup pour la soirée. À bientôt.
– Au revoir Charly !
– Salut Vanilda !
– Salut Lucas, à plus !

Piste n° 14, Minutes sons, page 21
Ça va ? / Tu habites à Bordeaux./ Vous êtes marié ? / Il s'appelle Léo ? / Elle s'appelle Sophie. / Tu es né en septembre ?

Piste n° 15, activité Delf 1, page 23
– Bonjour ! Laissez votre numéro de téléphone, je vous rappelle. À bientôt !
– Bonjour ! Je suis Marie Reski. Rappelez-moi, s'il vous plaît !

Mon numéro de téléphone, c'est le 06 64 19 48 53. Merci !
– Salut, c'est Julien. J'ai un nouveau numéro de téléphone !
C'est le 06 42 68 14 09. À plus !
– Oui bonjour, c'est Madame Rebol, Cécile... Je vous laisse mon numéro : 06 07 24 86 13. J'attends votre appel, merci.
– Bonjour, c'est Fred Petit. Est-ce que vous pouvez me rappeler au 06 10 32 92 03 ? Merci !

Piste n° 16, activité Delf 2, page 23
– Allô ?
– Oui, bonjour Monsieur Fontaine, c'est Monsieur Dubois.
– Ah, bonjour Monsieur Dubois !
– J'ai un problème : je suis à Marseille mais je ne trouve pas votre rue. Quelle est votre adresse ?
– C'est 67, rue des Tournelles.
– Ah, merci. À tout de suite !

UNITÉ 2 - Vie privée, vie publique

Piste n° 17, activité 1, page 26
Dialogue 1
– Bonjour Monsieur, vous cherchez ?
– Oui, bonjour ! Je suis Monsieur Fournier, je voudrais rencontrer le directeur commercial de Maxéco.
– Bien sûr ! C'est Monsieur Léoni.
Dialogue 2
– Regarde !
– Qui est-ce ?
– C'est Mme Lenoir, c'est la créatrice de Touparnet. C'est un site de commerce en ligne.
– Bonjour Messieurs, je peux vous aider ?
– Oui, bonjour madame, je m'appelle Vincent Garon, je suis étudiant. Je voudrais des informations sur votre entreprise.
– Bien sûr. Et qu'est-ce que vous étudiez ?
– J'étudie le *marketing*.
Dialogue 3
– Ah, voici mon collègue ! Bonjour Paul. Sophie, je te présente Paul Rouvier, c'est le responsable qualité. Paul, voici Sophie, ma femme.
– Bonjour M. Rouvier, enchantée.
– Ravi de vous rencontrer. Vous travaillez dans la restauration ?
– Non, je suis informaticienne !

Piste n° 19, Minutes sons, page 27
Créatrice, directeur, infirmière, étudiante, serveur, cuisinier, interprète.

Piste n° 20, activité 2, page 28
– Excusez-moi Monsieur, c'est pour une interview. Nous interrogeons des participants au Forum des métiers.
– Oui ?
– Quel est votre nom, s'il vous plaît ?
– Je m'appelle Boris Fournier.
– Quelle est votre profession ?
– Moi, je suis serveur. Je travaille en famille ! Nous avons un restaurant à Lyon. C'est une petite entreprise. Ma sœur et moi, nous faisons le service.
– Très bien. Et vos parents travaillent avec vous ?
– Oui, mon père est le directeur, il s'appelle François. Ma mère, Sylvie, est secrétaire et comptable. Mes parents travaillent beaucoup. Ce sont les responsables du restaurant.
– D'accord ! Et dans la cuisine ?
– Dans la cuisine, il y a mon frère, Julien, il est cuisinier, et Gaëlle, ma femme aussi. Sa spécialité, c'est la pâtisserie. Enfin, il y a Gaspard, c'est mon fils. Il est barman. Nous travaillons bien ensemble, mais parfois c'est difficile !
– Ah oui ? Quelles sont les difficultés par exemple ?
– Gaspard est nerveux et, barman, c'est une profession très stressante.

Piste n° 21, minutes sons, page 29
Mère, sœur, deux, cuisine, cuisinier, important, des gens, beaucoup, Gaspard.

Piste n° 22, minutes sons, page 31
C'est un homme célèbre. C'est une femme importante.
C'est un acteur chinois. C'est une chanteuse française. C'est une informaticienne américaine.
C'est un homme politique marocain. C'est une cuisinière polonaise. C'est un chercheur suisse.

Piste n° 23, activité Delf, page 33
– Voici Julie. C'est ma sœur. Elle est étudiante en management à Montpellier, elle a 22 ans et elle est très sympa et dynamique.
Le week-end, elle travaille chez un fleuriste. / – Je vous présente M. Deluce, votre nouveau collègue. Il est canadien mais il parle très bien français. Il parle aussi anglais, bien sûr. Il commence lundi matin au service clients. / – Tu connais Martin ? Martin Chambon, c'est le secrétaire

du directeur. Il est au troisième étage. Il est sérieux et il organise très bien les réunions. Il habite à Lyon aussi, et il n'est pas marié.

UNITÉ 3
Des goûts et des couleurs

Piste n° 24, activité 3, page 36
Ils ont 18-25 ans. Ils sont étudiants. Ils adorent voyager ! Ils portent un pantalon, un tee-shirt ou une chemise. Ils ont un sac à dos ! Ils aiment découvrir les cultures étrangères. Ils aiment bien marcher... et, ils n'aiment pas la ville : ils préfèrent la nature. / Ils ont 30-35 ans. Ils sont architectes ou infographistes. Ils portent une veste, un pull, un jean, des baskets. Ils aiment beaucoup la ville. Ils aiment écouter de la musique, ils aiment la photo, le design. Ils aiment bien faire la fête ! Ils aiment aussi faire du shopping et ils n'aiment pas le sport !

Piste n° 26, minutes sons, page 37
Ils aiment. Ils adorent. Vous avez. Nous avons. Ils ont. Vous aimez.
Les étudiants. Mes amis.
Deux enfants.

Piste n° 27, activité 2, page 38
Dialogue 1
– Bonjour Miss K ! Est-ce que vous pouvez vous présenter ?
– Je m'appelle Misaki, j'ai 25 ans. Je suis styliste. Je suis française mais je vis à Londres, en Angleterre.
– Qu'est-ce que vous aimez ?
– J'aime les jeux vidéo. J'adore la mode et la musique... Le pop-rock surtout !
– Qu'est-ce que vous faites le week-end ?
– Je fais de la guitare, je vais au ciné avec mes amis...
– Et, est-ce que vous faites du sport aussi ?
– Oui, je fais de la natation, je vais à la piscine le dimanche.
– OK, merci beaucoup !
Dialogue 2
– Bonjour ! Alors Vincent, qui êtes-vous ?
– Hé bien... Je m'appelle Vincent, j'ai 42 ans. Je suis médecin. Je suis anglais mais je vis à Paris.
– Qu'est-ce que vous aimez ?
– Le cinéma américain ! J'aime aussi aller à l'opéra, et j'adore voyager !
– Est-ce que vous faites du sport ?
– Oui, je fais du tennis et de

l'escalade.
– Super, merci Vincent !

Piste n° 28, minutes sons, page 39
Vous aimez le chocolat ? / Est-ce que vous aimez le chocolat ? /Vous êtes architecte ? / Vincent fait du sport ? / Tu aimes le rouge ? / Mary est anglaise ? / Vous aimez écouter du pop-rock ? / Tu préfères la ville ou la campagne ?

Piste n° 29, minutes sons, page 41
Concert. Maison. Avion. Pantalon. Violon. Blond. Garçon.

Piste n° 30, activité Delf, page 43
– C'est une actrice très célèbre dans le monde entier. Elle est brune, elle a les yeux bleus ; elle est très jolie. Elle aime jouer des personnages romantiques. Son nom est Marion Cotillard.
– C'est le chanteur du groupe Phœnix. Il est brun ; il a l'air sympathique. Sa femme est une réalisatrice américaine. Il s'appelle Thomas Mars.
– C'est un acteur français. Dans ce film, il joue un homme d'affaires extravagant ; il porte un costume jaune et des lunettes de soleil. Son personnage s'appelle COCO. C'est Gad El Maleh.
– C'est une chanteuse de rock. Elle a les cheveux longs et elle s'habille toujours en noir. Elle s'appelle IZIA.

UNITÉ 4 - À table !

Piste n° 31, activité 2, page 46
1. – Bonjour, je voudrais une baguette et deux croissants, s'il vous plaît.
– Voilà !
– Combien je vous dois ?
– 2 euros 90, s'il vous plaît ! Tenez !
– Merci Madame, bonne journée !
2. – Bonjour ! C'est à qui ?
– C'est à moi ! Je voudrais une salade et des tomates, 1 kilo de tomates, s'il vous plaît ?
– Oui, voilà ! Avec ceci ?
– Des pommes. Combien ça coûte, 1 kilo de pommes ?
– C'est 1 euro 60 !
– Alors, je vais prendre 2 kilos de pommes aussi !
– Très bien ! Alors, 1 salade, 1 kilo de tomates et 2 kilos de pommes... ça fait 5 euros 25, Madame.
– Voilà !
– Merci, au revoir !

– Merci à vous ! Bonne journée !
3. – Bonjour Madame ! Vous désirez ?
– Je voudrais 1 litre de lait, s'il vous plaît, et 4 yaourts.
– Bien sûr, voilà !
– Je vous dois combien ?
– 3 euros, s'il vous plaît.
– Tenez... Merci, bonne journée !
4. – Bonjour, un café et un verre d'eau, s'il vous plaît !
– Oui... j'arrive tout de suite...
– Et voilà un café et un verre d'eau !
– Merci, combien je vous dois ?
– 1 euro 50, s'il vous plaît.
– Voilà, merci !

Piste n° 33, minutes sons, page 47
Long/lent. Rond/rang. Sans/sang. Vent/vont. Grande/grande. Langue/longue. Monte/monte.

Piste n° 34, activité 5, page 49
– Bonjour, vous avez choisi ?
– Oui, oui ! Moi, je voudrais un menu à 23 euros.
– Moi, non, je ne prends pas d'entrée.
– Oui. Qu'est-ce que vous prenez en entrée ?
– Je vais prendre une salade du marché.
– Bien. Et comme plat ?
– Un poulet-frites, s'il vous plaît.
– Vous avez un plat du jour ?
– Oui, c'est un magret de canard avec des pommes de terre.
– Alors pour moi, un plat du jour !
– Et ensuite ? En dessert ?
– Je n'sais pas...
– Vous aimez les tartes au citron ?
– J'adore !
– Alors, goûtez la tarte au citron d'Adrien.
– Mais oui, goûte !
– Bon d'accord, une tarte au citron !
– Moi aussi, s'il vous plaît.
– OK, deux tartes au citron ! Vous souhaitez un apéritif ?
– Non, merci.
– Moi non plus. Mais on va prendre une bouteille de vin rouge.
– Et une carafe d'eau s'il vous plaît !
– Très bien, c'est noté...
– Excusez-moi, on peut avoir l'addition s'il vous plaît ?
– Oui, je vous l'amène tout de suite...

Piste n° 35, minutes sons, page 49
Peinture, romain, maintenant, demain, tatin, raisin, romarin, incendie.

Piste n° 36, minutes sons, page 51
Manger, restaurant, souvent. / Pain, vin, faim. / Bon, jambon, boisson. /Bonbon, bambou. / Romain, roman. / Raisin, raison. / Piquant, piquons. / Marin, marron.

Piste n° 37, activité Delf 1, page 53
– Bonjour Madame, vous désirez ?
– Bonjour ! Je voudrais 1 kilo de tomates et 2 salades vertes. Et je voudrais des fruits aussi. Qu'est-ce que vous avez ?
– J'ai des pommes rouges et des poires délicieuses ! Goûtez-les !
– Hum... Je vais prendre 1 kilo de pommes, mais je ne veux pas de poires. Je prendrais des bananes aussi... 4 bananes...
– Voilà Madame ! Ça fait 5 euros 25 s'il vous plaît.

UNITÉ 5, On s'installe !

Piste n° 38, activité 2, page 56
– Allô ! Monsieur Gomez ?
– Oui, bonjour.
– Bonjour, je suis Romane Degrave de l'agence Ventury21. Je vous appelle pour la location. J'ai un logement pour vous...
– C'est une bonne nouvelle et il y a combien de pièces ?
– Voilà, c'est une maison avec 4 chambres et un grand salon. Il y a même 2 salles de bain. La maison se trouve dans un quartier calme.
– Bien, quelle est la surface ?
– La maison fait 130 m^2.
– Waouh, c'est grand. Et quel est le loyer ?
– Le loyer est de 1 200 € par mois.
– Parfait. Je voudrais la visiter très vite.

Piste n° 40, minutes sons, page 57
Sur/sous. Beau/bureau. Nouvelle/nouveau. Lulu/loulou. Bulle/boule. Russe/rousse. Pull/poule.

Piste n° 41, activité 2, page 58
– Madame, où est-ce que je mets le carton n° 34 ?
– Au 1er étage, dans la chambre des enfants, à côté de la salle de bain. Maintenant, prenez le frigo et mettez-le dans la cuisine.
– Pardon ?
– Le réfrigérateur, mettez-le dans la cuisine. La cuisine est au rez-de-chaussée, c'est la deuxième porte à gauche. Vous mettez le frigo entre la table et le four.
– Et j'installe l'ordinateur où ?
– Dans ma chambre, à droite de la chambre des enfants ; vous posez l'ordinateur sur le bureau et vous le branchez s'il vous plaît, la prise est derrière.
– Oh la, la, elle est très lourde cette armoire !
– Mettez l'armoire près du lit. Faites attention, elle est fragile !

Piste n° 42, minutes sons, page 59
On est parti. Nous avons rangé. Vous avez pris. Ils ont déménagé. Ils ont fini. Ils sont partis.

Piste n° 43, activité 2, page 60
Beaucoup d'étudiants étrangers viennent en France pour étudier, avec le programme Érasmus par exemple, pour faire un stage ou pour travailler. Ils habitent souvent en colocation pour partager le quotidien des jeunes Français, pour découvrir des endroits pour sortir. Avec la colocation, on peut aussi découvrir la culture et la cuisine française, pratiquer la belle langue de Molière, rencontrer des gens. Nous avons rencontré Pedro, étudiant chilien ; il cherche actuellement une colocation à Lyon.
Il raconte son expérience :
– Tu viens de quel pays ? Qu'est-ce que tu fais comme études ?
– Je viens du Chili et je suis étudiant en École d'ingénieur.
– Pourquoi est-ce que tu as choisi la France pour tes études ?
– Parce que j'ai déjà fait un stage l'année dernière à Paris, j'ai adoré ! Et je voudrais encore améliorer mon français.
– Pourquoi tu as choisi la colocation ?
– Parce que c'est un bon moyen pour faire connaissance avec de nouvelles personnes.
– Et pour toi, quelle est la colocation idéale ?
– C'est une bonne ambiance avec des colocataires sympas !
– Est-ce que tu peux donner trois conseils pour réussir sa colocation ?
– Oui, d'abord, il faut partager les tâches ménagères et les dépenses ; en France, on dit : « les bons comptes font les bons amis » ! Et tous les colocataires doivent aider dans l'appartement : faire les courses, la vaisselle et le ménage... ensemble et avec le sourire !

Piste n° 44, minutes sons, page 61
Viens ! / Ne viens pas ! – Venez ! /
Ne venez pas ! – Fais les courses ! /
Ne fais pas les courses ! – Mettez la
table ! / Ne mettez pas la table ! –
Pose la télé sur le bureau ! / Ne pose
pas la télé sur le bureau.

Piste n° 45, activité Delf2, page 63
Bon, pour ce mois, chacun doit payer
200 euros pour le loyer et Tom,
c'est ton tour pour les courses ! /
Chéri, tu as pris la liste des courses ?
Je ne dois pas oublier le beurre,
le jus d'orange et le lait. / Bonjour
Monsieur. / Bonjour... Alors on peut
commencer la visite ? Oui ? On
prend l'ascenseur ; l'appartement
est au 6e étage ! / Bonjour Arthur !
Salut Jules, tu vas bien ? Oui, super !
Je te présente Alex et Léa.

Unité 6 - Au fil du temps

Piste n° 46, activité 2, page 66
– Excusez-moi, je fais une enquête
sur le temps libre. Je peux vous
poser une ou deux questions ?
– Bien sûr...
– Est-ce que vous avez beaucoup
de vacances au Québec ? Qu'est-
ce que vous faites pendant votre
temps libre ?
– Au Québec, on n'a pas beaucoup
de congés, mais j'ai beaucoup de
temps libre pendant la semaine !
Je travaille 7 heures par jour, mais
je finis tôt : je finis tous les jours à
16 heures. Le soir, je fais régulièrement du yoga. Et pendant les
vacances, j'aime me reposer, je vais
souvent dans un centre de remise
en forme.
– Et vous, Monsieur, est-ce que vous
travaillez beaucoup ?
– Oui, je travaille beaucoup. J'adore
mon boulot. Je pars en vacances 2
fois par an : une semaine en hiver
et 2 semaines en été. Pour moi, les
vacances d'été au mois d'août, c'est
bizarre ! Parce que je suis australien
et chez moi la rentrée est début
février.
– Vous n'avez pas beaucoup de
vacances alors... ?
– Non, je n'ai pas beaucoup de
vacances mais mon entreprise
organise parfois des week-ends
pour les employés. L'année dernière,
nous avons fait de la musique
pendant 2 jours, avec 50 collègues,
de la « batucada ». Vous
connaissez ? C'est génial ! Ce sont

des percussions brésiliennes !
– Et vous, est-ce que vous avez
beaucoup de vacances ?
– Oui, le rythme universitaire, c'est
parfait ! Les cours commencent
en octobre et finissent en mai.
Après les examens, je pars toujours
une semaine en vacances. J'aime
beaucoup le sport, alors je fais
souvent du rafting. Le printemps,
c'est la bonne saison pour ce sport.
Et en hiver, avec mon ami, je fais du
ski tous les week-ends. J'habite à
Grenoble, dans les Alpes.

Piste n° 48, minutes sons, page 67
Les enfants sont en vacances en
août. Les vacances, c'est important.
Vous avez beaucoup de temps
libre ? Au Canada, on aime le ski. Je
pars en octobre. Nous allons dans
un grand hôtel. Quand il pleut, ils
restent chez eux.

Piste n° 49, activité 2, page 68
– Bienvenue chez *Cohésion*, nos
bureaux sont ouverts de huit heures
trente à douze heures trente et
de treize heures trente à dix-huit
heures. Pour consulter nos offres,
tapez 1, pour prendre rendez-vous
avec un conseiller, tapez 2, pour
d'autres informations, tapez 3.
– Allô, bonjour, Lucile Girard à
l'appareil.
– Bonjour Madame. Je vous appelle
parce que je voudrais organiser
une journée spéciale pour mes
employés. Je dirige une entreprise de
30 personnes. Pendant notre séminaire annuel, je voudrais améliorer
leur travail en équipe.
– Oui, vous avez regardé nos offres ?
Vous avez trouvé quelque chose ?
– Oui, la journée cuisine et dégustation m'intéresse beaucoup. Je
voudrais vous rencontrer.
– Bien sûr. Quand est-ce que vous
pouvez venir ? Mardi prochain,
à quatre heures et quart, c'est
possible ?
– Ah, non, désolé, mardi, je ne peux
pas, je suis à Paris pendant la journée, je reste jusqu'à 21 heures. Jeudi
après-midi ?
– Oui.
– À quelle heure ?
– J'ai une réunion entre treize heures
et quatorze heures, alors, à quatorze
heures trente, ça va ?
– Oui, c'est parfait.
– Très bien. Vous êtes Monsieur ?
– Monsieur Pereira. Bien, à jeudi,

deux heures et demie, au revoir.
– Merci Monsieur Pereira, au revoir,
bonne journée.

Piste n° 50, minutes sons, page 69
Lundi, je peux. Quelle heure ? Tu
peux ? Monsieur. Ma sœur. Deux. La
douceur.

Piste n° 51, minutes sons, page 71
Je sors /un mot /le corps/ j'adore /
de l'eau/ très tôt /d'accord.

Piste n° 52, activité Delf 1, page 73
– M. Ramis, bonjour. Je peux vous
poser quelques questions sur votre
rythme de travail ?
– Bien sûr !
– D'abord, M. Ramis, à quelle
heure est-ce que vous vous levez le
matin ?
– Je me lève très tôt, à 6 heures.
– Et vous commencez à travailler... ?
– À 6 h ! Bon, je bois d'abord un thé,
bien sûr, mais j'aime écrire le matin,
c'est calme.
– Vous écrivez tous les jours ?
– Oui, tous les jours. J'écris environ
5 heures par jour.
– Très bien. Et vous sortez, vous allez
voir vos amis ?
– Oui, parfois. En général, je vois
mes amis une fois par semaine et je
vais au cinéma tous les week-ends.
J'aime beaucoup le théâtre, aussi.
Je vais au théâtre 2 fois par mois en
moyenne.
– Vous avez une vie culturelle
intense !
– Oui, vous savez, c'est très impor-
tant pour moi.
– Merci beaucoup M. Ramis.
– Je vous en prie.

Unité 7 - En ville !

Piste n° 53, activité 2, page 76
– Bonjour ! Bienvenue sur Web TV
ville ! Ce mois-ci, j'ai rencontré des
Bordelais et des Strasbourgeois,
habitants de 2 villes bien différentes ! Écoutez ce qu'ils ont à nous
dire !
– Je suis Claire, je suis strasbour-
geoise, et j'aime vraiment ma ville.
Strasbourg est une ville très dynamique : c'est une ville étudiante et
une ville d'affaires. Et c'est une ville
internationale aussi : il y a
46 ambassades à Strasbourg, et
le Parlement européen ! Il fait très
chaud en été et très froid en hiver...
Mais en décembre, c'est sympa :

il y a le marché de Noël. J'adore cette ambiance !

– Je suis Tina, je suis allemande. Je connais bien Strasbourg parce que c'est tout près de l'Allemagne. J'habite dans le quartier de la Petite-France. J'aime beaucoup cet endroit, c'est très joli : il y a des petites rues piétonnes et des canaux, comme à Venise ! Et c'est calme parce qu'il n'y a pas de voitures. Ici, on peut tout faire à pied ou à vélo. Le soir, on sort dans le quartier Krutenau : il y a des restos, des bars… c'est un quartier branché !

– Je m'appelle Elias. Je suis Bordelais et j'adore Bordeaux ! J'aime cette ville parce que c'est une ville moderne et très dynamique. Ça bouge beaucoup ! Il y a beaucoup d'étudiants, beaucoup d'activités économiques et culturelles. Il y a des musées, des salles de concert, un opéra, une maison de la Danse, des restaurants dans toute la ville et même un club de foot !

– Paul, je suis bordelais aussi. Bordeaux est une très belle ville. J'habite dans le quartier Saint-Augustin : la vie de quartier y est animée. Il n'y a pas de grand centre commercial mais il y a des petits commerces dans tout le quartier. Le climat est idéal : il ne fait jamais très froid et l'été, il fait beau et chaud. Il ne pleut pas souvent. L'océan et la plage ne sont pas loin, c'est vraiment agréable.

Piste n° 55, minutes sons, page 77
Bus, lycée, musée, université, taxi, joli, ville, vie.

Piste n° 56, activité 2, page 78
– Mathieu, tu m'accompagnes à la poste ? Je dois absolument envoyer un colis à ma sœur, c'est son anniversaire !
– Oui si tu veux ! On y va comment ?
– En voiture !… Je ne sais pas où c'est, j'allume le GPS. Alors, direction place du Château. Voilà !
– Vous êtes sur la rue de Lausanne. Continuez puis à 100 mètres, tournez à gauche rue du Jeu-de-Paume.
– Mais où on est ? C'est pas possible, ça, on est encore perdu ! C'est toujours la même chose avec ce GPS ! Je vais demander à quelqu'un… Excusez-moi Madame, où se trouve la place du Château, s'il vous plaît ? Je cherche la Poste.
– Et bien, c'est juste à côté de la

Cathédrale. Mais vous devez y aller à pied, c'est dans la zone piétonne.
– Ah bon ? Mais c'est par où ?
– Hé bien, vous prenez à gauche, quai des Bateliers. Continuez sur le quai, puis traversez la rivière : prenez le pont Sainte-Madeleine. Et ensuite, c'est facile. Vous continuez tout droit rue des Bains, et vous prenez la 1re rue à gauche : vous êtes sur la place du Château, la poste est en face de vous.
– Super, merci beaucoup, Madame.

Piste n° 57, minutes sons, page 79
Voici ma famille ! Tu connais cette fille ? Il y a un lycée. La place de la Bastille. Tu travailles ?
Il faut y aller ! C'est incroyable !

Piste n° 58, activité 2, page 80
– Ici, vous êtes à Montmartre, devant la Basilique du Sacré-Cœur. Cette grande église blanche a bientôt 100 ans ! À l'intérieur, c'est magnifique ! Et maintenant, tournez-vous ! Regardez cette vue sur Paris… C'est incroyable, non ? ! Toute la ville est devant vous !
– Wouah, c'est magnifique ! C'est beau ! C'est superbe !
– Alors, là-bas, à votre droite, vous pouvez voir la Tour Eiffel, cet étrange monument !
– En face de vous, sur la gauche, vous voyez ce grand bâtiment coloré, bleu et rouge… ? C'est le Centre Pompidou. On l'appelle aussi Beaubourg. C'est un centre culturel et c'est aussi le musée d'art moderne. C'est un bâtiment des années 70. Et derrière Beaubourg, il y a la célèbre cathédrale Notre-Dame. Vous voyez ces 2 belles tours… ? On aperçoit aussi le Panthéon, là-bas. Bien, nous allons continuer notre visite. Est-ce que vous avez des questions ?
– Oui… je voudrais savoir… où est-ce que Beaubourg se trouve exactement ?
– Il se trouve dans le centre de Paris, tout près des Halles et du quartier du Marais.
– Comment on y va ?
– En métro : vous descendez à la station Châtelet ou les Halles, sur la ligne 1 ou sur la ligne 4.
– Combien est-ce que l'entrée coûte ?
– Ah ça, je ne sais pas !
– Et quand est-ce qu'on peut le visiter ?

– Tous les jours, sauf le mardi.
– Super, j'y vais demain !

Piste n° 59, minutes sons page 81
Où est la gare ? C'est le musée d'art moderne. On arrive ! C'est un bon restaurant. Tournez à gauche. Arrête le GPS !

Piste n° 60, activité Delf, page 83
– Allô, Nadia ? Salut, c'est Lola !
– Ah, salut Lola !
– Tu es où ? Tu es à Cahors ?
– Non, je suis en week-end à Genève, avec Carl et les enfants.
– Genève ? Mais qu'est-ce que tu fais à Genève ?
– On est venus voir des amis.
– Et, c'est comment ?
– C'est beau, les rues sont grandes et il y a beaucoup de parcs, des arbres et des fleurs et c'est au bord du Lac Léman.
– Et vous êtes à l'hôtel ?
– Non, non, nous dormons chez nos amis. Leur quartier est vraiment sympa, il y a beaucoup de restaurants et des commerces, c'est animé.
– Vous avez visité des musées, des monuments ?
– Oui, hier, nous sommes allés au musée d'art contemporain, c'est un musée passionnant.
– Et vous rentrez quand ?
– Demain. Bon, je te laisse, je t'appelle le week-end prochain ?
– OK, salut Nadia, embrasse tout le monde !

UNITÉ 8 - Nos sorties…

Piste n° 61, activité 3, page 86
– Bonsoir, Mathieu Carrière en direct du Festival Rock en Seine. Cette année encore, le public est au rendez-vous pour trois jours de musique ; les spectateurs sont nombreux et il va y avoir 65 concerts jusqu'à dimanche soir. Écoutons ensemble les festivaliers de cette édition 2011 !
– Bonsoir, c'est votre premier festival ?
– Bonsoir, oui c'est la première fois et j'adore ! Je suis fan de musique et j'ai acheté des billets pour les 3 soirs. Je voudrais voir tous les concerts !
– Ah, et pour le moment, quel groupe vous avez préféré ?
– J'ai beaucoup aimé le concert de Keren Ann et ce soir, je vais

écouter mon groupe préféré, Arctic Monkeys !
– Et maintenant, nous sommes à Avignon : qui va être sur scène ce soir ?
– Bonjour, vous avez vu beaucoup de spectacles ?
– Bonjour, oui, j'ai vu la pièce d'Olivier PY et ce soir, je vais voir le spectacle avec Juliette Binoche.
– Ah, est-ce que c'est votre actrice préférée ?
– Ben, oui, je l'aime bien mais j'aime mieux Catherine Deneuve.
– Qu'est-ce que vous allez faire cette semaine ?
– Je vais voir des pièces de théâtre bien sûr mais aussi des expositions de photo et de peinture. Je vais aussi visiter la région.
– Vous êtes venue seule ?
– Non, je suis avec mon mari ; nous fêtons notre anniversaire de mariage.
– Et bien, joyeux anniversaire et bon festival !

Piste n° 63, minutes sons, page 87
Cinéma, vais, festivalier, théâtre, aime, musée, séance, Seine.

Piste n° 64, page 88
– Salut Jules, tu fais quoi ce soir ?
– Salut, je ne sais pas, il y a un bon film à la télé : "La Môme" avec Marion Cotillard.
– Tu ne veux pas sortir ? Léa fête ses 25 ans ; on se retrouve tous au restaurant "chez Pierrot" dans le 7e et après, on va sortir en boîte...
– Si, si, avec plaisir, et toi, Margaux ça te dit de venir avec nous ?
– Non, je ne peux pas ; j'ai promis à Zoé d'aller au ciné avec elle et on va boire un verre après le film.
– Bon, Jules, on se retrouve devant le resto à 20 heures mais chut, ne dis rien à Léa, c'est une surprise !

Piste n° 65, Minutes son, page 89
Je vais/je veux ; fais/feu ; mais/mieux ; paix/peu ; j'ai/jeu ; des/deux.

Piste n° 66, activité 3, page 90
– Vous les connaissez ?
– Ah, oui je la connais. Je trouve qu'elle est très belle. C'est une actrice américaine célèbre dans le monde entier. Je l'ai vue dans le film "Lara Croft". Elle est mariée à Brad Pitt et ils ont beaucoup d'enfants ! C'est...
– C'est un grand artiste italien ; il a fait des peintures et des sculptures.

Son tableau très célèbre c'est La Joconde, je l'ai vu au Musée du Louvre, à Paris. Ce peintre s'appelle...
– C'est un groupe de rock anglais ; les musiciens sont vieux maintenant mais je les aime bien parce qu'ils sont cool ! Le chanteur s'appelle Mick Jagger. Je vais les voir en concert pour les 50 ans du groupe ! Ce sont les...

Piste n° 67, minutes son, page 91
"La guerre du feu" "Attrape-moi si tu peux" "Danse avec les loups" "Le grand bleu" "Les petits mouchoirs" "Ne le dis à personne" "Un heureux événement" "Les émotifs anonymes"

UNITÉ 9 - Enfin les vacances !

Piste n° 68, activité 2, page 96
– Bonjour Monsieur, je viens pour confirmer mon voyage.
– Oui, quel est votre nom ?
– M. Brossier.
– Ah oui, le voyage en Guadeloupe !
– Oui, c'est ça. Excusez-moi, je voudrais quelques précisions, mon amie est un peu inquiète. Où se trouve l'hôtel ? Il est à côté de la mer ?
– Non, il est près du centre-ville, à Sainte Rose.
– Mais, est-ce qu'il y a une piscine ?
– Oui, bien sûr !
– Et est-ce qu'il y a un accès internet ?
– À l'hôtel, oui, mais au gîte et au camping, non.
– Très bien. Et le petit-déjeuner est inclus, c'est ça ?
– Oui Monsieur, vous êtes en demi-pension, le petit déjeuner et le déjeuner sont inclus.
– C'est parfait. Je dois réserver les billets d'avion maintenant.
– Absolument, alors.... nous disions, deux billets pour Pointe-à-Pitre, c'est ça ?
– Tout à fait.
– Vous voulez partir de Paris ?
– Oui.
– Vous souhaitez partir à quelle date ?
– Attendez... Nous partons le 15 février. Il y a des places disponibles ?
– Oui, ne vous inquiétez pas. Et quelle est votre date de retour ?
– Nous revenons le 23.
– Très bien. Pour l'aller, vous voulez partir le matin ou l'après-midi ?
– Le matin, s'il vous plaît.

– Alors, il y a un vol à 7 h 20 le 15 février.
– À quelle heure est l'enregistrement ?
– Jusqu'à 6 h 30.
– Et il y a une correspondance ?
– Non, c'est un vol direct, Monsieur.
– Très bien, je prends la réservation.
– Parfait ! Voyons les horaires du retour maintenant.

Piste 70, minutes son, page 97
Nous voyageons, une chambre simple, le séjour, l'enregistrement, je choisis, une agence, tu achètes.

Piste 71, activité 1, page 98
– Bonjour Monsieur, entrez. Ouh, la, la, ça ne va pas ?
– Bonjour. Non, ça ne va pas très bien. Je suis très fatigué, et j'ai chaud, très chaud.
– Vous êtes ici depuis longtemps ?
– Non, je viens d'arriver, enfin, je suis arrivé hier, et avec mon amie, nous sommes restés tout l'après-midi à la plage, et...
– Oui, je vois...
– Maintenant, j'ai mal à la tête et je ne me sens pas bien du tout.
– C'est sûr, vous êtes tout rouge. Vous avez mis de la crème solaire ?
– Bien sûr.
– Et vous avez gardé votre chapeau toute la journée ?
– Oui, le soleil est très fort ici.
– Et vous avez bu régulièrement ?
– Je viens de boire un litre d'eau...
– Comment ? Seulement, maintenant ? Et pendant la journée, vous n'avez pas bu ?
– Pas vraiment...
– Vous avez de la fièvre ?
– Non, je ne crois pas.
– Bon, ce n'est pas très grave. C'est un méchant coup de soleil. Mais vous avez eu raison de venir tout de suite. Vous allez vous mettre dans un endroit frais et continuer à boire régulièrement. Je vous conseille aussi une crème pour les coups de soleil, et surtout, restez tranquille ce soir, reposez-vous.
– Oui, oui, je vais rester à l'hôtel, je viens d'appeler le restaurant pour annuler la réservation pour le dîner. De toute façon je n'ai pas faim et j'ai un peu mal au ventre. En plus, je dois être en forme demain, parce que nous partons en randonnée.
– Pardon ? Et bien, bon courage, Monsieur !

Transcriptions audio

Piste nº 72, minutes son, page 99
Voyage, vite, froid, faim, ventre, valise, confort.

Piste nº 73, minutes sons, page 101
Vraiment ? Ouf ! Oh non, c'est dommage ! Génial ! Quel voyage ! C'est malheureux !

Piste nº 74, activités Delf, page 103
Les passagers du vol Air France 8776 à destination de Montréal sont priés de se présenter à la porte D pour l'embarquement.

UNITÉ 10 - Travailler autrement

Piste nº 75, activité 2, page 106
– Bonjour, vous m'entendez bien ?
– C'est bon. Comment allez-vous à Paris ? Il fait beau ? Ici, à Lima, il pleut.
– Oui, bonsoir ou plutôt bonjour ! Pour vous, la journée commence. Ici à Singapour, nous allons bientôt dîner.
– Bonjour à tous, tout va bien à Paris. Jean est en retard, je l'appelle...
– Bonjour. Vous êtes bien sur le répondeur de Jean Dutourd. Je ne suis pas disponible pour le moment. Merci de laisser un message et je vous appellerai dès que possible. Au revoir !
– Bon, il doit être encore sur la route, il cherche une place, je pense.
– Bonjour, désolé pour le retard, j'ai eu un problème de connexion. Maintenant, ça marche, j'ai trouvé une place et du réseau ! Je branche la webcam et nous pouvons commencer.

Piste nº 77, minutes sons, page 107
Tu veux goûter ce gâteau ? Je vais à la gare avec les garçons et Madame Garcia. Tu prends de l'argent au guichet. N'oublie pas de garer la voiture dans le garage. Gaspard m'a offert une bague. Regarde le cadeau de Camille. Gaël porte une casquette.

Piste nº 78, activité 4, page 108
– Bonjour, je suis Franck Malet, je viens d'intégrer le département achats de Cessibo ; je travaille dans le service de M.Mullié.
– Bonjour Franck, bienvenue à Cessibo ! Moi, c'est Mehdi. Où est-ce que vous avez travaillé avant ?
– Après mes études à l'ESC, j'ai travaillé comme commercial chez Auprès pendant 4 ans ; après, je

suis parti au Mexique ; là-bas, j'ai amélioré mon espagnol et j'ai vécu une belle expérience humaine. Et vous, quel est votre parcours ?
– J'ai eu le Bac en 1998 et après, j'ai fait un Master en informatique. J'ai postulé chez Cessibo et ils m'ont embauché comme technicien réseaux. Ensuite, pendant 6 mois, j'ai bossé au service informatique. Je suis chef de projet depuis 3 ans.
– Et pourquoi vous êtes resté ?
– Parce que c'est une entreprise qui me plaît. Ici, les conditions de travail sont excellentes. L'ambiance est sympa, le patron nous écoute, il nous propose des formations tous les ans et le salaire est plutôt pas mal !

Piste nº 79, minutes sons, page 109
Combien d'étudiants est-ce qu'il y a dans la classe ? Il est quelle heure ? Déjà quatre heures quinze ? Camille et Clément font les courses. C'est le garçon que j'aime. C'est la fille qui me manque. J'habite au Maroc, à Casablanca. Respectez bien le calendrier !

Piste nº 80, activité 2, page 110
Le télétravail se développe en France ; chaque année, il y a de plus en plus de Français qui décident de travailler chez eux.
Les raisons sont nombreuses : quitter la grande ville pour la campagne, passer plus de temps avec sa famille, etc. Le profil des télétravailleurs ? Ils ont trente ans en moyenne, un enfant qui ne va pas encore à l'école et un métier qui permet de travailler à distance : cadre, journaliste, architecte, designer ou commercial. Écoutez le témoignage de Jeanne... Jeanne, quel est votre métier ?
– Je suis traductrice. J'ai travaillé pendant 6 ans à Paris mais j'en ai eu assez. J'ai décidé de changer de vie. Depuis 3 mois, j'habite à Nantes et je travaille à la maison. Et si j'ai un rendez-vous avec un client à Paris, je prends le train !
– Quels sont les avantages du télétravail ?
– Je me sens plus libre et plus autonome. J'organise mon temps comme je veux ; je peux déposer mes enfants à l'école le matin et aller les chercher le soir. Je perds moins de temps dans les transports en commun. Je suis plus mobile :

avec mon ordinateur, je peux travailler à la maison ou dans le train ou même, de temps en temps, dans un café. Maintenant, je travaille dans de meilleures conditions, je suis donc plus détendue, moins stressée.
– Et, est-ce qu'il y a des inconvénients ?
– Oui, parfois je me sens un peu seule ; finie la pause-café avec les collègues. Je passe plus de temps devant mon écran d'ordinateur, alors beaucoup de mes contacts sont virtuels.

Piste nº 81, minutes sons, page 111
Cadeau/gâteau - coûter/goûter - la glace/la classe - le bac/la bague - garer/carré - la clé/l'anglais - l'oncle/l'ongle.

Piste nº 82, activité Delf, page 113
– Bonjour, je m'appelle Amina. Je suis architecte depuis 11 ans. Mon métier est passionnant ; je construis des logements et des commerces. J'écoute les gens et je réalise la maison de leurs rêves !
– Moi, c'est Pierre. J'ai commencé à travailler à 16 ans ; maintenant, j'ai 53 ans. Alors, vous imaginez, ça fait longtemps. Je suis boulanger. C'est un métier très dur. J'en ai marre de travailler toute la nuit ! Vivement la retraite : j'ai envie d'être à la retraite !
– Bonjour, je suis Anne. Je viens de reprendre mon travail de comptable. J'étais en congé maternité. J'ai retrouvé le bureau et les collègues le mois dernier. Je suis heureuse, j'ai besoin de quitter la maison et les biberons.

Piste nº 83, annexes, phonétique, page 115
Venir, lycée. Salut. Beaucoup, coût. Café, étudier, et. Jeudi. Métro, cadeau. Demain, le. Très, seize, aime, est, restaurant, prêt. Heure, accueil. Adore. Ami, habiter, femme. Vin, pain. Enfant, jambon. Maison, blond. Travail, éteins, cigarette. Dîner, adolescent. Parent, stop, grippe. Ballon, tomber. Café, occasion, accueil, quand, kilo, ticket, taxi. Garçon, baguette, exemple, second. Enfant, affiche, photo. Ville, wagon. La, allumer. Madame, maman. Architecte, short, schéma. Jupe, genre, mangeons. Montagne. Vieux, yeux, travail, famille. Oui, moi, sandwich. Bruit.